3

Logo!

Hamburg

Berlin

DEUTSCHLAND

Köln

München

Salzburg

Wien

ÖSTERREICH

Bern

Zürich

DIE SCHWEIZ

Harriette Lanzer

Heinemann

Heinemann Educational
Halley Court, Jordan Hill, Oxford OX2 8 EJ
Part of Harcourt Education

Heinemann is the registred trademark of
Harcourt Education Limited

© Harriette Lanzer

First published 2002

03 04 05 10 9 8 7 6 5 4 3 2

A catalogue record for this book is available from the British Library on request.

ISBN 0 435 36820 6

Produced by **AMR** Ltd

Original illustrations © Heinemann Educational Publishers 2002

Illustrations by Art Construction, Belinda Evans, Tony Forbes, Andy Peters, Wayne Thompson, Shaun Williams

Cover photo provided by Getty Images

Printed and bound in Spain by Mateu Cromo

Acknowledgements

The author would like to thank Julie Green for her help in the development of the course; Karl Witzmann, Christina Friedl and the pupils of the Bundesgymnasium Zaunergasse in Salzburg; Naomi Laredo and Jana Kohl; John Green TEFL tapes and Johan Nordqvist for the audio production.

The author and publishers would like to thank the following for permission to reproduce copyright material: **Urlaubsspezialisten** p. 58 (logo); **SWR3.online** (3/00) p. 78 adapted from a text by Schiwa Schlei; **Diary Entertainment GmbH** p. 78 (Diary logo); **Clique** p. 78 (logo).

Photographs were provided by: **Jacky Chapman/format** p. 6 (Nicolas) & p. 35 (Mira); **Greg Evans International** p. 6 (Catriona), p. 28 (6), p. 50 (a), p. 56 (Munich & classical concert), p. 58 (b), p. 96 (Peter); **Keith Gibson** p. 6 (Lucas), p. 32 (Billy); **Images Colour Library** p. 7 (Sascha Star); **Skishoot-Offshoot** p. 56 (Austrian Alps), p. 58 (c); **Austrian National Tourist Office/Herzberger** p. 47 (Mozartkugeln); **Austrian National Tourist Office/Weinhaeupl** p. 50 (c); **Martin Sookias** p. 52 (b); **Hutchinson Library/P. Edward Parker** p. 56 (tennis court); **Austrian National Tourist Office/Wiesenhofer** p. 58 (a & d); **Anthony Blake Photo Library/Martin Brigdale** p. 58 (e); **Anthony Blake Photo Library/Sian Irvine** p. 59 (a); **Anthony Blake Photo Library/Anthony Blake** p. 59 (c); **Anthony Blake Photo Library/Trevor Ward** p. 59 (b); **Austrian National Tourist Office/ H. Lehmann** p. 59 (d); **The Kobal Collection** p. 66 (a, c & d); **The Ronald Grant Archive** p. 66 (b, e, & f); **Redferns Music Picture Library/Michael Linssen** p. 70 (Coolio); **Sally & Richard Greenhill** p. 70 (band); **All Action Pictures Ltd** p. 70 (Britney Spears & Backstreet Boys); **Redferns Music Picture Library/JM International** p. 70 (Craig David); **95.8 Capital Radio DJ** p. 77 (DJ); **Diary Entertainment GmbH** p. 78 (Jule); **Clique** p. 78 (group circle); **Jim Sugar Photography/Corbis** p. 81 (Robert); **Speed Retail** p. 93 (c); **Canon** p. 93 (f); **David H. Wells/Corbis** p. 98 (d); all other photos by **Steve J. Benbow.**

Tel: 01865 888058   www.heinemann.co.uk

Inhalt

		Seite
1 Austausch		6
1 **Ich wohne in Europa**	Asking for and giving personal details	6
2 **Ich bin Deutscher**	Naming some nationalities Giving details about somebody else	8
3 **Was machst du gern?**	Talking about what you do and don't like doing	10
4 **Emilys Austausch**	Understanding and using some everyday expressions	12
5 **Souvenirs**	Buying souvenirs	14
6 **Was hast du gestern gemacht?**	Talking about what you did yesterday	16
7 **Partnersuche**		18
Lernzieltest und Wiederholung		20
Grammatik		22
Wörter		24
2 Bei uns – bei euch		26
1 **Schulfächer**	Saying how often you have subjects and what you think of them	26
2 **Deutsch ist interessanter als Englisch**	Comparing your school subjects	28
3 **Die Hausordnung**	Talking about what you aren't allowed to do at school	30
4 **Nächstes Trimester**	Talking about what you have to do next term	32
5 **Zekis Schule, meine Schule**	Comparing your school with a German school	34
6 **Wo ist die Bibliothek?**	Naming some rooms at school Giving directions to some rooms	36
7 **Lehrerzeugnis**		38
Lernzieltest und Wiederholung		40
Grammatik		42
Wörter		44

3 Österreich und die Umwelt

1 Österreich für alle	Talking about what you want to do in Austria	46
2 Österreich zu jeder Jahreszeit	Talking about what people do in each season	48
3 Stadt oder Dorf?	Talking about where you live	50
4 Umwelt-Aktionen	Talking about what you should do to help the environment	52
5 Sehr geehrte Damen und Herren	Writing a letter to a tourist office	54
6 Salzburg	Talking about what you did in Salzburg	56
7 http://austria-tourism.at		58
Lernzieltest und Wiederholung		60
Grammatik		62
Wörter		64

4 Medien

1 Magst du Horrorfilme?	Talking about films	66
2 Gehen wir ins Kino?	Phoning a friend to invite him/her to the cinema	68
3 Hörst du gern Popmusik?	Talking about music	70
4 Leseratten	Talking about your reading habits	72
5 Surfen	Talking about what people can do on a computer	74
6 Medien-Projekt-Woche	Talking about what you did last week	76
7 Online-Soaps		78
Lernzieltest und Wiederholung		80
Grammatik		82
Wörter		84

Seite

5 Jobs und Geld 86

1 **Ich habe einen Job**	Talking about part-time work	86
2 **Jobanzeigen**	Talking about the qualities required for certain jobs	88
3 **Worauf sparst du?**	Talking about what you are saving for	90
4 **Was kostet das?**	Counting to 10,000 Saying what you have/haven't got	92
5 **Im Second-Hand-Laden**	Buying clothes	94
6 **Das Geldspiel**	Talking about what you did with your money last month Playing a game	96
7 **Ein Job in Ehren**		98
Lernzieltest und Wiederholung		100
Grammatik		102
Wörter		104

6 Kein Problem 106

1 **Meine Familie**	Talking about your family	106
2 **Zu Hause**	Talking about what you are and aren't allowed to do at home	108
3 **Probleme**	Talking about problems	110
4 **Die Zukunft**	Talking about your resolutions	112
5 **Liebe Ellie**	Writing a letter of introduction Interviewing an older person	114
Lernzieltest und Wiederholung		116
Grammatik		118
Wörter		120

Extra	122
Grammatik	134
Wortschatz Deutsch–Englisch	138
Wortschatz Englisch–Deutsch	143

1 Ich wohne in Europa

Asking for and giving personal details

1a Hör zu. Wer spricht? (1–10)
Beispiel: 1 Nicolas

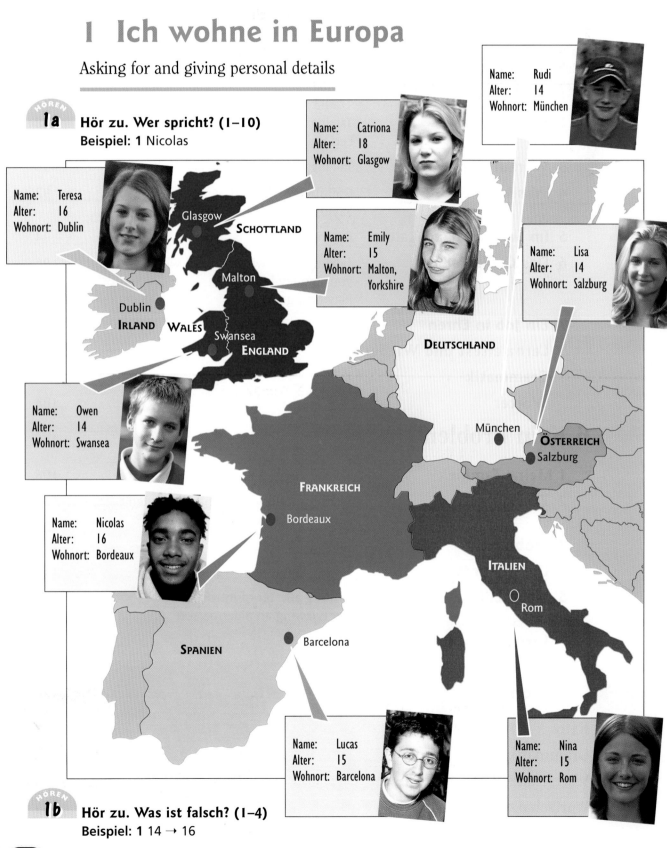

Name: Rudi
Alter: 14
Wohnort: München

Name: Catriona
Alter: 18
Wohnort: Glasgow

Name: Teresa
Alter: 16
Wohnort: Dublin

Name: Emily
Alter: 15
Wohnort: Malton, Yorkshire

Name: Lisa
Alter: 14
Wohnort: Salzburg

SCHOTTLAND

Glasgow

Malton

Dublin
IRLAND WALES

Swansea
ENGLAND

DEUTSCHLAND

Name: Owen
Alter: 14
Wohnort: Swansea

München

ÖSTERREICH
Salzburg

FRANKREICH

Bordeaux

Name: Nicolas
Alter: 16
Wohnort: Bordeaux

ITALIEN

Rom

Barcelona

SPANIEN

Name: Lucas
Alter: 15
Wohnort: Barcelona

Name: Nina
Alter: 15
Wohnort: Rom

1b Hör zu. Was ist falsch? (1–4)
Beispiel: 1 14 → 16

2 **Lies die Sätze. Wer spricht?**

Beispiel: 1 Nicolas

1 Ich bin sechzehn Jahre alt und ich wohne in Frankreich.
2 Ich wohne in Spanien. Ich bin fünfzehn Jahre alt.
3 Ich bin fünfzehn Jahre alt und mein Vorname beginnt mit N.
4 Ich bin vierzehn Jahre alt. Ich wohne in Deutschland.
5 Ich wohne in Italien und ich bin fünfzehn Jahre alt.
6 Ich wohne in Glasgow. Das ist in Schottland.

 3 **Kopiere und ergänze die Fragen und Sätze.**

Beispiel: 1 Wie heißt du?

1 Wie . . . du?
2 Ich . . . Lisa.
3 Wie alt . . . du?
4 Ich . . . sechzehn Jahre alt.
5 Wo . . . du?
6 Ich . . . in München.

Grammatik

Talking about yourself and asking a friend

ich *(I)*		**du** *(you)*	
ich **bin**	*I am*	Wie alt **bist** du?	*How old are you?*
ich wohn**e**	*I live*	Wo wohn**st** du?	*Where do you live?*
ich heiß**e**	*I'm called*	Wie heiß**t** du?	*What are you called?*

Lern weiter ▶ 2 & 3, Seite 22; 2, Seite 62

 4 **Mach Interviews mit den Jugendlichen auf Seite 6.**

Beispiel:
▲ Wie heißt du?
● Ich heiße (Lisa).
▲ Wie alt bist du?
● Ich bin (vierzehn) Jahre alt.
▲ Wo wohnst du?
● Ich wohne in (Salzburg). Das ist in (Österreich).

Wie heißt du?	Ich heiße	Lisa/Owen/ . . .
Wie alt bist du?	Ich bin	vierzehn/fünfzehn/sechzehn/achtzehn Jahre alt.
Wo wohnst du?	Ich wohne in	Rom/München/Swansea/ . . .
	Das ist in	England/Frankreich/Deutschland/Spanien/Österreich/Italien/Irland/Schottland/Wales.

 5 **Mach einen Steckbrief für eine berühmte Person und schreib die Details auf.**

Beispiel: Ich heiße Sascha Star.
Ich bin neunzehn Jahre alt.
Ich wohne in London. Das ist in England.

Name: Sascha Star
Alter: 19
Wohnort: London, England

2 Er ist Deutscher

Naming some nationalities
Giving details about somebody else

HÖREN

1a **Hör zu. Wer spricht? (1–6)**
Beispiel: **1** Nicolas

Lisa ist Österreicherin.

Emily ist Engländerin.

Nicolas ist Franzose.

Lucas ist Spanier.

Rudi ist Deutscher.

Nina ist Italienerin.

SPRECHEN

1b **Partnerarbeit. Memoryspiel.**

Beispiel: ▲ Ist (Lucas) (Spanier) oder (Engländer)?
     ● (Er) ist (Spanier).
     ▲ Ist (Emily) (Österreicherin) oder (Engländerin)?
     ● (Sie) ist (Engländerin).

Ist Lucas/Nicolas/Rudi/ . . . ? Er ist . . .	Engländer/Italiener/Österreicher/ Spanier/Franzose/Deutscher.
Ist Emily/Lisa/Nina/ . . . ? Sie ist . . .	Engländerin/Italienerin/Österreicherin/ Spanierin/Französin/Deutsche.

Grammatik

Haben and **sein**

ich habe	*I have*	ich bin	*I am*
du hast	*you have*	du bist	*you are*
er hat	*he has*	er ist	*he is*
sie hat	*she has*	sie ist	*she is*

ich = *I*, du = *you*, er = *he*, sie = *she*

Lern weiter ▶ 2, Seite 22

Vokabeln lernen ist wichtig. Nimm
dein Vokabelheft überall mit und
lern . . . im Bus, im Bad, im Café.

2a **Welche Nationalität haben sie? Ergänze die Sätze.**
Beispiel: **1** Schotte

1 Duncan ist achtzehn Jahre alt und er wohnt in Schottland. Er ist . . .
2 Michaela ist dreizehn Jahre alt und sie wohnt in Berlin. Sie ist . . .
3 Patricia ist vierzehn Jahre alt und sie wohnt in Birmingham. Sie ist . . .
4 Markus ist sechzehn Jahre alt. Er wohnt in Österreich. Er ist . . .
5 Chloe ist fünfzehn Jahre alt. Sie wohnt in Swansea. Das ist in Wales. Sie ist . . .
6 Patrick ist neunzehn Jahre alt und wohnt in Waterford. Das ist in Irland. Er ist . . .

| Schotte | Österreicher | Deutsche | Engländerin | Waliserin | Ire |

 2b **Sieh dir die Sätze oben an und beantworte die Fragen.**
Beispiel: **1** Patricia

1 Wer ist Engländerin?
2 Wo ist Waterford?
3 Wie heißt der Österreicher?

4 Wer wohnt in Schottland?
5 Wo wohnt Michaela?
6 Wie alt ist Chloe?

wer?	*who?*
wo?	*where?*
wie?	*how?*

3 **Hör zu. Schreib die Tabelle ab und füll sie aus. (1–6)**

	Name	Wohnort	Nationalität
1	Greg	Wales	Waliser

 4a **Gruppenarbeit. Erfindet eine Identität. Wer hat dieselbe Nationalität wie du?**
Beispiel: Name: George, Wohnort: Irland, Nationalität: Ire

▲ Wie heißt du?
● Ich heiße (George).
▲ Wo wohnst du?

● Ich wohne in (Irland).
▲ Ach, bist du (Ire)?
● Ja, richtig! Ich bin (Ire). Wie heißt du?

 **Grammatik**

Ich bin

Engländer	Engländerin
Italiener	Italienerin
Spanier	Spanierin
Österreicher	Österreicherin
Franzose	Französin
Deutscher	Deutsche
Waliser	Waliserin
Ire	Irin
Schotte	Schottin

 4b **Schreib über dich und zwei andere Personen aus Übung 4a.**
Beispiel: Ich heiße George. Ich wohne in Irland. Ich bin Ire.
            Sie heißt Sophia. Sie wohnt in Italien. Sie ist Italienerin.
            Er heißt Max. Er wohnt in München. Das ist in Deutschland. Er ist Deutscher.

Ich heiße . . .	Ich wohne in . . .	Ich bin . . .
Er heißt . . .	Er wohnt in . . .	Er ist . . .
Sie heißt . . .	Sie wohnt in . . .	Sie ist . . .

3 Was machst du gern?

Talking about what you do and don't like doing

d Ich sehe gern fern.

1a **Hör zu und lies. Was passt zusammen? (1–6)**
Beispiel: 1 e

Was machst du gern?

a Ich gehe gern einkaufen.

b Ich spiele gern Computerspiele.

e Ich spiele gern Fußball.

f Ich höre gern Musik.

c Ich fahre gern Ski.

1b **Gruppenarbeit. Was macht deine Klasse gern?**
Beispiel: ▲ Was machst du gern?
● Ich (spiele) gern (Computerspiele) und ich (gehe) gern (einkaufen).
Was machst du gern?
▲ Ich (fahre) gern (Ski) und ich (spiele) gern (Fußball).

Was machst du gern?			
	spiele		Fußball/Computerspiele.
	sehe		fern.
Ich	höre	gern	Musik.
	fahre		Ski.
	gehe		einkaufen.

1c **Schreib eine Liste von 1 (dem Lieblingshobby) bis 6 für deine Klasse auf.**
Beispiel: **1** Ich sehe gern fern.

2a Lies die E-Mail und ordne die Bilder.

Beispiel: d, . . .

a

b

Hallo Emily!
Bald kommst du nach München – hurra! Vielen Dank für deine Top-Hobbys-Liste. Hier ist meine Liste:

1 Ich spiele gern Fußball. Das mache ich mit meinen Freunden im Park.
2 Ich sehe gern fern. Das mache ich jeden Tag!
3 Ich spiele gern Computerspiele. Ich habe einen Computer im Zimmer.
4 Ich höre gern Musik. Meine Lieblingsgruppe ist „Apfel".
5 Ich fahre nicht gern Ski. Das finde ich zu anstrengend.
6 Ich gehe nicht gern einkaufen. Das ist so langweilig!

Bis bald!
Rudi

c

d

e

f

2b Hör zu. Was macht Emily gern? (1–6)

Beispiel: Fußball ✓

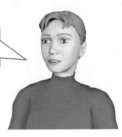

Schreib nur Stichwörter auf. „Ich spiele gern Fußball" = **Fußball**, „Ich sehe gern fern" = **fern**, usw.

2c Was machen Emily und Rudi beide gern?

Beispiel: Fußball ✓

Grammatik

Talking about what you do and don't like doing

ich *(I)* spiele sehe gehe höre fahre

Ich spiele **gern** Fußball.	*I **like** playing football.*
Ich spiele **nicht gern** Fußball.	*I **don't like** playing football.*
Ich höre **gern** Musik.	*I **like** listening to music.*
Ich höre **nicht gern** Musik.	*I **don't like** listening to music.*

Lern weiter ▶ Seite 137

3 Was machst du gern?
Was machst du nicht gern?
Schreib Sätze für die Bilder auf Seite 10 auf.

Beispiel: a Ich gehe gern einkaufen.
     b Ich spiele nicht gern Computerspiele.

MINI-TEST

Check that you can:
- ask for and give personal details
- name some nationalities
- talk about what you do and don't like doing

4 Emilys Austausch

Understanding and using some everyday expressions

1a **Hör zu und wiederhole. Welches Bild ist das? (1–8)**
Beispiel: 1 c

Emilys Austauschpartner ist Rudi. Er wohnt in Deutschland.
Heute fliegt Emily nach München.

Hallo. Wie geht's?

Gut, danke.

Vielen Dank, Rudi.

Bitte sehr.

Guten Appetit, Emily.

Danke. Guten Appetit.

Gute Nacht, Emily.

Gute Nacht, Rudi.

1b **Partnerarbeit. Lest die Dialoge zu zweit vor.**

2 Rudi hat ein Reisebuch für Emily gemacht. Was passt zusammen?

Beispiel: 1 Guten Tag = h Hello.

1	Guten Tag.	a	Pardon?
2	Hallo.	b	Goodbye.
3	Danke sehr. Bitte sehr.	c	Thank you. You're welcome.
4	Wie bitte?	d	Bye.
5	Bis bald.	e	Excuse me.
6	Tschüs.	f	Good night.
7	Auf Wiedersehen.	g	How are you? Fine, thanks.
8	Wie geht's? Gut, danke.	h	Hello. (Good day)
9	Guten Appetit.	i	See you soon.
10	Entschuldigung.	j	Hello.
11	Gute Nacht.	k	Enjoy your meal.

3a Hör zu und wiederhole. Wie heißt das auf Englisch? (1–11)

Beispiel: **1** How are you?

Eine deutsche Aussprache ist wichtig. Imitiere die Person auf der Kassette.

3b Partnerarbeit. Testet einander.

Beispiel: ▲ Wie heißt („pardon?") auf Deutsch?

● („Wie bitte?")

▲ Richtig.

● Wie heißt („good night") auf Deutsch?

4 Schreib kurze Dialoge für diese Bilder.

Beispiel: a – Tschüs.

– Auf Wiedersehen. Bis bald!

a   b   c   d   e

5 Souvenirs

Buying souvenirs

1a Hör zu und wiederhole. Welches Bild ist das? (1–6)
Beispiel: **1** d

a	b	c	d	e	f

ein Kuli	ein Bierkrug	eine Kassette	eine Krawatte	ein Buch	ein T-Shirt

1b Partnerarbeit. Memoryspiel.
Beispiel: ▲ Ist Bild (b) (ein Bierkrug) oder (eine Kassette)?
● Das ist (ein Bierkrug). Ist Bild (f) (ein T-Shirt) oder (ein Kuli)?

Grammatik

Nominative: *ein/eine*

masculine	ein Bierkrug *(a beer mug)*
feminine	eine Kassette *(a cassette)*
neuter	ein Buch *(a book)*

Lern weiter ▶ 6, Seite 23; Seite 134

2a Hör zu. Was suchen sie? (1–6)
Beispiel: **1** e

a    b   c   d   e   f

2b Beschrifte die Bilder a–f, Singular und Plural.
Beispiel: **a** ein Bierkrug – zwei Bierkrüge

der Bierkrug(¨e)   die Kassette(-n)

das Buch(¨er)   der Kuli(-s)

das T-Shirt(-s)   die Krawatte(-n)

Pass auf! **Ein Bierkrug** ist „one beer mug" und **zwei Bierkrüge** sind „two beer mugs". Lern immer die Pluralform mit.

3a Hör zu und wiederhole.

Hallo, kann ich dir helfen?

Ja, haben Sie Bierkrüge?

Ja, bitte schön.

Vielen Dank.

Super. Ich nehme bitte einen Bierkrug.

Wie findest du die Bierkrüge?

Sehr gut.

3b Hör zu. Was kaufen sie? (1–4)

Beispiel: **1** zwei Kassetten

4a Partnerarbeit.

Haben Sie	Kulis/Bierkrüge/Krawatten/Kassetten/T-Shirts/Bücher?

▲ Hallo, kann ich dir helfen?

● Ja, haben Sie  ?

▲ Ja, bitte schön.

● Vielen Dank.

▲ Wie findest du die  ?

● Super. Ich nehme bitte
  einen Kuli/Bierkrug.
  eine Kassette/Krawatte.
  ein Buch/T-Shirt.
  zwei/drei/vier

▲ Sehr gut.

4b Schreib einen Dialog aus Übung 4a auf und nimm ihn auf Kassette auf.

Beispiel: – Hallo, kann ich dir helfen?
– Ja, haben Sie Krawatten?

Grammatik

Ich nehme + accusative: *einen/eine/ein*

m Ich nehme ein**en** Kuli/ein**en** Bierkrug.
f Ich nehme eine Kassette.
n Ich nehme ein Buch.

Lern weiter ▶ Seite 134

6 Was hast du gestern gemacht?

Talking about what you did yesterday

1a **Hör zu und wiederhole. Wer spricht? (1–6)**
Beispiel: **1** b

1b **Partnerarbeit. Ergänzt die Sätze.**

Beispiel: ▲   Was hast du gestern gemacht?
            ●   Ich (habe Fußball) . . .
            ▲   (gespielt).
            ●   Richtig. Was hast du gestern gemacht?
            ▲   Ich (bin schwimmen) . . .
            ●   (gegangen).

Was hast du gestern gemacht?			
Ich	habe	Fußball/Computerspiele	gespielt.
		Musik	gehört.
			ferngesehen.
	bin	schwimmen/einkaufen	gegangen.

2a Hör zu und lies. Sagt Emily das oder nicht? Ja oder nein?

Beispiel: 1 Ja

1 Ich habe viel gemacht.
2 Ich habe Tennis gespielt.
3 Ich bin einkaufen gegangen.

4 Ich habe nicht ferngesehen.
5 Ich habe Computerspiele gespielt.
6 Ich bin schwimmen gegangen.

Herr Stein: Na, Emily. Was hast du gestern gemacht?
Emily: Ach, ich habe viel gemacht! Ich habe Fußball gespielt. Das spiele ich immer sehr gern. Ich bin auch einkaufen gegangen und ich habe viele Souvenirs gekauft. Ich habe ferngesehen und Musik gehört und ich habe Computerspiele gespielt. Ach ja, und ich bin ins Restaurant gegangen!
Was haben Sie denn gemacht, Herr Stein?
Herr Stein: Ich? Tja, ich bin schwimmen gegangen.
Emily: Wie bitte?
Herr Stein: Ich bin schwimmen gegangen. Das war total anstrengend!

2b Sieh dir diese Notizen an. Was hat Emily gestern gemacht? Was sagt sie?

Beispiel: 1 Ich habe Fußball gespielt.

> **Freitag**
> 1 Fußball spielen
> 2 einkaufen gehen
> 3 Musik hören
> 4 Computerspiele spielen
> 5 fernsehen
> 6 ins Restaurant gehen

3 Hör zu. Was haben sie gestern gemacht? Wähl ein Bild von Seite 16 aus. (1–6)

Beispiel: 1 b (Computerspiele)

4 Gruppenarbeit. Memoryspiel: Wer hat den aktivsten Tag gehabt?

Beispiel: ▲ Was hast du gestern gemacht?
● Ich (habe Musik gehört).
Was hast du gestern gemacht?
■ Ich (habe Musik gehört) und ich (bin einkaufen gegangen).
Was hast du gestern gemacht?

Grammatik

Word order in perfect tense

1	2	3	Ende
Was	**hast**	du gestern	gemacht?
Ich	**habe**	Musik	gehört.
Ich	**bin**	schwimmen	gegangen.

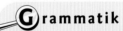

Lern weiter ▶ 7, Seite 23; Seite 135

5 Was haben diese Diebe gestern gemacht? Was sagen sie?

Beispiel: a Ich habe ferngesehen und ich habe Musik gehört.

a  b  c 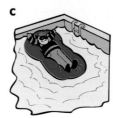 d  e

7 Partnersuche

1a **Lies die Texte unten. Wer macht das gern?**
Beispiel: a j.klein

Spanier sucht Deutsche.
Alter: 15.
Wohnort: Barcelona.
Hobbys: Schwimmen, Fernsehen,
        Einkaufen.

mgl200@palmail.com

Österreicherin sucht Italiener.
Alter: 14.
Wohnort: Wien.
Hobbys: Fußball, Tennis, Musik.

j.klein@palmail.com

Deutscher sucht Engländerin.
Alter: 15.
Wohnort: Bonn.
Hobbys: Musik, Computerspiele,
        Restaurants.

l.baum@palmail.com

Französin sucht Österreicher.
Alter: 15.
Wohnort: Bordeaux.
Hobbys: Musik, Fernsehen,
        Computerspiele.

k.lamaison@palmail.com

---

sucht	*is looking for*

1b **In welchem Land wohnen sie?**
Beispiel: mgl200 wohnt in Spanien.

2a **Hör zu. Schreib die Tabelle ab und füll sie aus. (1–4)**

	Alter	Kommt aus	Wohnt in	Hobbys
1	15	Österreich	Deutschland	Fernsehen, Musik

2b **Finde einen passenden Partner / eine passende Partnerin für sie.**
Beispiel: Nummer 1 und k.lamaison

3a **Lies die Texte. Ist das Julia oder Iris?**

Beispiel: 1 Iris

1 Sie ist 15 Jahre alt.
2 Sie ist Deutsche.
3 Sie spielt gern Handball.
4 Sie geht gern einkaufen.

5 Sie hört gern Musik.
6 Am Wochenende geht sie schwimmen.
7 Ihr Lieblingshobby ist Schwimmen.
8 Sie spielt gern Tennis.

---

an: mgl200@palmail.com

Hallo!
Ich heiße Julia und ich bin sechzehn Jahre alt. Ich
bin Deutsche und wohne in Mannheim, in Deutschland.
Ich spiele gern Handball und ich bin ein großer
Tennisfan. Ich gehe auch gern einkaufen. Mein
Lieblingshobby ist aber Schwimmen - das machst du
auch gern, nicht? Willst du mein Brieffreund werden?
Schreib bitte bald!
Julia

3b **Wer ist die beste Brieffreundin für mgl200 – Julia oder Iris?**

---

an: mgl200@palmail.com

Hallo!
Ich heiße Iris und ich bin fünfzehn Jahre alt. Ich
wohne in Salzburg. Das ist in Österreich. Im Winter
spiele ich gern Fußball und im Sommer spiele ich
gern Tennis. Ich höre auch gern Musik. Am Wochenende
gehe ich manchmal schwimmen - das finde ich super.
Willst du mein Brieffreund werden?
Schreib bitte bald!
Iris

4a **Erfinde eine Identität und mach einen Steckbrief dafür.**

Beispiel:

Name:	José
Alter:	16
Wohnort:	Madrid
Nationalität:	Spanier
Hobbys:	Fußball, Schwimmen

4b **Gruppenarbeit. Wer ist der beste Partner / die beste Partnerin für dich in der Klasse?**

Beispiel:

▲ Wie heißt du?
● Ich heiße (José).
▲ Wie alt bist du, (José)?
● Ich bin (sechzehn) Jahre alt.
▲ Wo wohnst du?
● Ich wohne in (Madrid).

▲ Bist du denn (Spanier)?
● Ja, das bin ich.
▲ Was machst du gern?
● Ich (spiele) gern (Fußball) und
ich (gehe) gern (schwimmen).

4c **Schreib eine E-Mail wie in Übung 3a mit deiner neuen Identität.**
Nimm sie auf Kassette auf.

Beispiel: Hallo! Ich heiße José und ich bin sechzehn Jahre alt. Ich bin
Spanier und ich wohne in Madrid. Ich spiele gern Fußball und ich
gehe gern schwimmen.

Lernzieltest   Check that you can:

1 ● ask for personal details

Wie heißt du? Wie alt bist du?
Wo wohnst du?

● give your personal details

Ich heiße Rudi. Ich bin vierzehn Jahre alt.
Ich wohne in Deutschland.

2 ● ask what nationality people are

Ist Emily Engländerin oder Spanierin?
Ist Lucas Österreicher oder Spanier?

● say what nationality people are
● ask a friend for personal details
● give personal details

Sie ist Engländerin. Er ist Spanier.
Wie heißt du? Wo wohnst du? Bist du Ire?
Ich heiße George. Ich wohne in Irland.
Ich bin Ire.

3 ● ask a friend what he/she likes doing

Was machst du gern?

● say what you like doing
● say what you don't like doing

Ich sehe gern fern. Ich gehe gern einkaufen.
Ich spiele nicht gern Computerspiele.
Ich fahre nicht gern Ski.

4 ● understand and use everyday expressions

Wie geht's? Gute Nacht. Bis bald.
Auf Wiedersehen. Wie bitte? Guten Appetit.

5 ● ask what something is
● say what something is
● buy a souvenir

Ist Bild c ein Buch oder eine Kassette?
Das ist ein T-Shirt. Das ist eine Krawatte.
Ich nehme bitte einen Kuli. Haben Sie
Bierkrüge? – Ja, bitte schön.

6 ● ask a friend what he/she did yesterday

Was hast du gestern gemacht?

● say what you did yesterday

Ich habe Musik gehört. Ich habe Fußball
gespielt. Ich bin einkaufen gegangen.

Wiederholung

1 Hör zu. Schreib die Tabelle ab und füll sie aus. (1–5)

	Name	Alter	Wohnort
1	Judith	14	Spanien

2 Hör zu. Was haben sie gestern gemacht? (1–6)
Beispiel: 1 f

3 Partnerarbeit. Übt Dialoge im Souvenir-Laden.

Beispiel: ▲ Hallo, kann ich dir helfen?
      ● Ja, haben Sie (Kassetten)?
      ▲ Ja, bitte schön.
      ● Vielen Dank.
      ▲ Wie findest du die (Kassetten)?
      ● Super. Ich nehme bitte
        (zwei Kassetten).
      ▲ Sehr gut.

der Bierkrug(¨-e)   **die Kassette(-n)**

das T-Shirt(-s)   **der Kuli(-s)**

4 **Lies den Text und beantworte die Fragen.**
Beispiel: 1 Jochen

Hallo. Ich heiße Jochen und ich bin fünfzehn Jahre alt. Ich bin Österreicher, aber jetzt wohne ich in Leipzig, in Deutschland. Ich habe viele Hobbys: Ich sehe gern fern, spiele gern Fußball und höre gern Musik. Ich gehe auch gern einkaufen. Gestern bin ich schwimmen gegangen – das war anstrengend.

1 Heißt der Junge Jochen oder James?
2 Ist er 15 oder 16 Jahre alt?
3 Ist er Deutscher oder Österreicher?
4 Wohnt er in Salzburg oder Leipzig?
5 Spielt er gern Fußball oder Computerspiele?
6 Ist er gestern schwimmen oder einkaufen gegangen?

5 **Was sagen sie?**
Beispiel: a Ich bin Österreicher.

a   b   c   d   e   f

6 **Was haben sie gestern gemacht? Was sagen sie? Schreib Sätze.**
Beispiel: 1 Paul: Ich habe ferngesehen.
  1 Paul – fernsehen
  2 Monika – schwimmen gehen
  3 Ulrich – einkaufen gehen
  4 Erik – Computerspiele spielen
  5 Thomas – Musik hören
  6 Wanda – Fußball spielen

bin einkaufen gegangen
habe Computerspiele/Fußball gespielt
habe Musik gehört
bin schwimmen gegangen
habe ferngesehen

Grammatik

1 Words for you and other people (*ich, du, er* and *sie*)

To talk about different people in German, use these words:
ich *(I)*, **du** *(you)*, **er** *(he)* and **sie** *(she)*.
We call these words 'pronouns'.

See if you can put the correct pronoun into the following sentences.

1 . . . hat einen Bruder. *(<u>She</u> has a brother.)*

2 Wo wohnst . . . ? *(Where do <u>you</u> live?)*

3 . . . hat einen Hund. *(<u>He</u> has a dog.)*

4 . . . spiele Fußball. *(<u>I</u> play football.)*

2 *Haben* (to have) and *sein* (to be)

The verbs **haben** and **sein** are used a lot in German, so make sure you know how to use them with the pronouns **ich** *(I)*, **du** *(you)*, **er** *(he)* and **sie** *(she)*. See how the verb changes with different pronouns.

haben	to have		sein	to be
ich habe	*I have*		**ich bin**	*I am*
du hast	*you have*		**du bist**	*you are*
er hat	*he has*		**er ist**	*he is*
sie hat	*she has*		**sie ist**	*she is*

Fill in the gaps with the correct part of *haben*.

1 <u>Ich</u> . . . am 4. Mai Geburtstag.

2 . . . <u>du</u> Geschwister?

3 <u>Lars</u> (er) . . . einen Hund.

4 <u>Sie</u> . . . eine Schwester.

5 <u>Ich</u> . . . eine Katze und eine Maus.

6 <u>Er</u> . . . braune Haare.

Fill in the gaps with the correct part of *sein*.

1 <u>Ich</u> . . . 17 Jahre alt.

2 Wie alt . . . <u>er</u>?

3 <u>Sara</u> (sie) . . . Engländerin.

4 <u>Tom</u> . . . 18 Jahre alt.

5 <u>Ich</u> . . . Deutsche.

6 Wie alt . . . <u>du</u>?

3 Talking about yourself (*ich . . .*)

Use **ich** *(I)* to talk about yourself. With this pronoun the verb normally ends in **-e**.

ich spiel<u>e</u>	*I play*
ich seh<u>e</u> fern	*I watch TV*
ich geh<u>e</u>	*I go*
ich hör<u>e</u>	*I listen to*
ich fahr<u>e</u>	*I go/drive*

Fill in the gaps with the correct verb. Make sure you spell it correctly.

1 Ich . . . fern.

2 Ich . . . Computerspiele.

3 Ich . . . Fußball.

4 Ich . . . Ski.

5 Ich . . . einkaufen.

6 Ich . . . Musik.

4 Talking about other people (*er* and *sie*)

Use **er** *(he)* or **sie** *(she)* to talk about somebody else. With **er** and **sie**, the verb usually ends in **-t**.

er/sie is<u>t</u>	*he/she is*
er/sie wohn<u>t</u>	*he/she lives*
er/sie heiß<u>t</u>	*he/she is called*

Here are some questions about Oliver. Complete the answers with the correct verb form.

Beispiel: Wie heißt er?   Er heißt Oliver.

1 Wie hei<u>ß</u>t er?	Er . . . Oliver.
2 Wie alt is<u>t</u> er?	Er . . . 15 Jahre alt.
3 Wo wohn<u>t</u> er?	Er . . . in Frankfurt.
4 Is<u>t</u> er Deutscher?	Nein, er . . . Engländer.

5 How to say 'the' (*der/die/das*)

As you saw in *Logo! 2,* in German there are three groups of nouns (words for things and people): masculine, feminine and neuter. Each group has a different word for *the.*

masculine	**der** = *the*	e.g. <u>**der**</u> **Computer** *(the computer)*
feminine	**die** = *the*	<u>**die**</u> **Kassette** *(the cassette)*
neuter	**das** = *the*	<u>**das**</u> **Buch** *(the book)*

6 How to say 'a' (*ein/eine*)

To change *the* to *a*, change **der**, **die** or **das** to **ein** or **eine**.

der → ein	<u>**der**</u> **Bierkrug** *(the beer mug)* → <u>**ein**</u> **Bierkrug** *(a beer mug)*
die → eine	<u>**die**</u> **Kassette** *(the cassette)* → <u>**eine**</u> **Kassette** *(a cassette)*
das → ein	<u>**das**</u> **Buch** *(the book)* → <u>**ein**</u> **Buch** *(a book)*

Change *the* to *a* for these nouns.

Beispiel: 1 der Bierkrug → ein Bierkrug

1 der Bierkrug	**3** die Pflanze	**5** das T-Shirt	**7** der Fußball
2 das Buch	**4** der Kuli	**6** die Krawatte	**8** die Katze

7 Talking about things you have done in the past (the perfect tense)

The perfect tense is used to talk about the past. It has two parts:

1 Ich habe or **Ich bin**	+	**2** past participle (e.g. **gespielt, gegangen**)

Ich <u>habe</u> Fußball <u>gespielt</u>.	*I <u>played</u> football.*
Ich <u>bin</u> einkaufen <u>gegangen</u>.	*I <u>went</u> shopping.*

Put the words in the right gap. Then match the sentences with the pictures.

Beispiel: 1 Ich habe Computerspiele gespielt. **a**

1 Ich . . . Computerspiele . . . (habe gespielt)	**3** Ich . . . . (habe ferngesehen)
2 Ich . . . Musik . . . (habe gehört)	**4** Ich . . . schwimmen . . . (bin gegangen)

Wörter

Hallo / Hello

Wie heißt du?	What are you called?
Ich heiße (Simon).	I'm called (Simon).
Wie alt bist du?	How old are you?
Ich bin (14) Jahre alt.	I'm (14) years old.
Wo wohnst du?	Where do you live?
Ich wohne in (Berlin).	I live in (Berlin).
Das ist in . . .	That's in . . .
Deutschland.	Germany.
England.	England.
Frankreich.	France.
Irland.	Ireland.
Italien.	Italy.
Österreich.	Austria.
Schottland.	Scotland.
Spanien.	Spain.
Wales.	Wales.

Steckbrief / Personal details

Name	Name
Alter	Age
Wohnort	Place of residence

Nationalitäten / Nationalities

Ist (Jan) (Italiener)?	Is (Jan) (Italian)?
Er ist . . .	He's . . .
Deutscher.	German.
Engländer.	English.
Franzose.	French.
Ire.	Irish.
Italiener.	Italian.
Österreicher.	Austrian.
Schotte.	Scottish.
Spanier.	Spanish.
Waliser.	Welsh.
Ist (Irene) (Französin)?	Is (Irene) (French)?
Sie ist . . .	She's . . .
Deutsche.	German.
Engländerin.	English.
Französin.	French.
Irin.	Irish.
Italienerin.	Italian.
Österreicherin.	Austrian.
Schottin.	Scottish.
Spanierin.	Spanish.
Waliserin.	Welsh.
Bist du Deutsche(r)?	Are you German?
Ja, richtig! Ich bin Deutsche(r).	Yes, that's right. I'm German.

Hobbys / Hobbies

Was machst du gern?	What do you like doing?
Ich fahre gern Ski.	I like skiing.
Ich gehe gern einkaufen.	I like going shopping.
Ich höre gern Musik.	I like listening to music.
Ich sehe gern fern.	I like watching TV.
Ich spiele gern Computerspiele.	I like playing computer games.
Ich spiele gern Fußball.	I like playing football.
Ich fahre nicht gern Ski.	I don't like skiing.
Ich gehe nicht gern einkaufen.	I don't like going shopping.
Ich höre nicht gern Musik.	I don't like listening to music.
Ich sehe nicht gern fern.	I don't like watching TV.
Ich spiele nicht gern Computerspiele.	I don't like playing computer games.
Ich spiele nicht gern Fußball.	I don't like playing football.

Wendungen / Expressions

Hallo.	Hello. (informal)
Guten Tag.	Hello. (formal)
Wie geht's?	How are you?
Gut, danke.	Fine, thanks.
Gute Nacht.	Good night.
Bis bald.	See you soon.
Tschüs.	Bye.
Auf Wiedersehen.	Goodbye.
Danke sehr.	Thank you.
Bitte sehr.	You're welcome.
Guten Appetit.	Enjoy your meal.
Wie bitte?	Pardon?
Entschuldigung.	Excuse me.

Im Souvenir-Laden

Das ist . . .
  ein Bierkrug.
  ein Buch.
  eine Kassette.
  eine Krawatte.
  ein Kuli.
  ein T-Shirt.
Hallo, kann ich dir helfen?

Ja, haben Sie . . .
  Bierkrüge?
  Bücher?
  Kassetten?
  Krawatten?
  Kulis?
  T-Shirts?
Ja, bitte schön.
Vielen Dank.
Wie findest du die Kulis?

Super. Ich nehme bitte einen Kuli.
Ich nehme bitte eine Kassette.
Ich nehme bitte ein T-Shirt.
Sehr gut.

In the souvenir shop

That's . . .
  a beer mug.
  a book.
  a cassette.
  a tie.
  a pen.
  a T-shirt.
Hello, can I help you?

Yes, have you got . . .
  beer mugs?
  books?
  cassettes?
  ties?
  pens?
  T-shirts?
Yes, here you are.
Thank you.
How do you find the pens?

Great. I'll take a pen, please.
I'll take a cassette, please.
I'll take a T-shirt, please.
Very good.

Gestern

Was hast du gestern gemacht?
Ich habe Computerspiele gespielt.
Ich habe ferngesehen.
Ich habe Fußball gespielt.
Ich habe Musik gehört.
Ich bin einkaufen gegangen.
Ich bin schwimmen gegangen.

Yesterday

What did you do yesterday?
I played computer games.
I watched TV.
I played football.

I listened to music.
I went shopping.

I went swimming.

2 Bei uns – bei euch

1 Schulfächer

Saying how often you have subjects and what you think of them

1a **Hör zu. Wie oft hat man das Fach am Thomas-Mann-Gymnasium? (1–12)**
Beispiel: 1 (fünfmal) 5

Thomas-Mann-Gymnasium, Freiburg

8. Klasse STUNDEN PRO WOCHE

Fach	Stunden		Fach	Stunden
Religion	1		Deutsch	4
Erdkunde	2		Geschichte	2
Englisch	5		Französisch	4
Mathe	5		Physik-Chemie	2
Sport	3		Biologie	1
Kunst	2		Musik	2

1b **Richtig (R) oder falsch (F)?**
Beispiel: 1 F (falsch)

1 Die achte Klasse hat dreimal in der Woche Erdkunde.
2 Sie hat zweimal in der Woche Musik.
3 Sie hat viermal in der Woche Sport.
4 Sie hat fünfmal in der Woche Englisch.
5 Sie hat einmal in der Woche Religion.

1c **Partnerarbeit. Ihr seid am Thomas-Mann-Gymnasium.**
Beispiel: ▲ Wie oft hast du (Mathe)?
● (Fünfmal.) Wie oft hast du (Biologie)?

Wie oft hast du	Religion/Deutsch/Erdkunde/Geschichte/Englisch/Französisch/Mathe/Physik-Chemie/Biologie/Sport/Musik/Kunst?
Einmal/Zweimal/Dreimal/Viermal/Fünfmal.	

2 **Mach eine Liste von 1 (deinem Lieblingsfach) bis 12 aus den Fächern oben.**
Beispiel: 1 Sport

LESEN 3a Was bedeuten diese Adjektive? Rate mal und überprüfe es dann in der Wörterliste.

Beispiel: einfach – *easy*

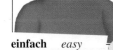

> Tja, was ist „einfach"? Ich weiß es! Ich schaue in die Wörterliste auf Seite 44. Das ist einfach!

einfach · interessant · lustig · anstrengend · schwierig · langweilig

einfach *easy*

Schule-Chat

ZUM THEMA: SCHULFÄCHER – EURE MEINUNG!

☺	Hasad, 14 Jahre:	Ich habe keine Probleme mit Deutsch. Deutsch finde ich <u>einfach</u>.
☺	Lotte, 15 Jahre:	Ich höre gern Musik. Musik finde ich sehr <u>interessant</u>.
☺	Kathi, 14 Jahre:	Die Erdkundelehrerin ist super. Erdkunde finde ich <u>lustig</u>.
☹	Lukas, 15 Jahre:	Ich mag Sport nicht. Sport finde ich total <u>anstrengend</u>.
☹	Brigitte, 14 Jahre:	In Französisch habe ich viele Probleme. Französisch finde ich <u>schwierig</u>.
☹	Nils, 14 Jahre:	In Biologie schlafe ich immer ein! Biologie finde ich total <u>langweilig</u>.

HÖREN 3b Hör zu. Wer spricht? (1–6)

Beispiel: 1 Kathi

SPRECHEN 4 Partnerarbeit. Wie findet dein Partner / deine Partnerin die Fächer? Schreib fünf Fächer und jeweils ein Adjektiv auf. Hast du richtig geraten?

Beispiel:
▲ Sam, wie findest du (Sport)?
● (Sport) finde ich (einfach).
   Wie findest du (Sport)?

	ich rate …	Sam sagt …
Sport	anstrengend	einfach

Wie	findest du	Religion/Deutsch/Erdkunde/Geschichte/Englisch/Musik/ Französisch/Mathe/Physik-Chemie/Biologie/Sport/Kunst?
Mathe/Deutsch/ . . .	finde ich	interessant/einfach/lustig. schwierig/langweilig/anstrengend.

SCHREIBEN 5 Was schreibst du beim Schule-Chat? Schreib deine Meinung über deine Fächer auf.

Beispiel: Tom, 14 Jahre: Englisch finde ich interessant. Sport finde ich sehr anstrengend.

Ⓖrammatik

Word order: verb = number 2

1	2		
Deutsch	**finde** ich	interessant.	*I find German interesting.*
Sport	**finde** ich	anstrengend.	*I find sport tiring.*

Lern weiter ▶ Seite 136

2 Deutsch ist interessanter als Englisch

Comparing your school subjects

1a Hör zu und wiederhole. Bist du derselben Meinung? (1–7)
Beispiel: **1** Nein

1

> Deutsch finde ich interessant.

> Aber Englisch finde ich interessanter.

2

> Biologie finde ich schwierig.

> Aber Physik-Chemie finde ich schwieriger.

3

> Musik finde ich lustig.

> Aber Kunst finde ich lustiger.

4

> Geschichte finde ich anstrengend.

> Aber Sport finde ich anstrengender.

5

> Religion finde ich gut.

> Aber Französisch finde ich besser.

6

> Erdkunde finde ich einfach.

> Aber Geschichte finde ich einfacher.

7

> Englisch finde ich langweilig.

> Aber Sport finde ich langweiliger.

1b Partnerarbeit.
Beispiel: ▲ (Deutsch) finde ich (interessant). Du auch?
● Ja, aber (Englisch) finde ich (interessanter).
▲ (Physik-Chemie) finde ich (schwierig). Du auch?

Deutsch/Biologie/ . . .	finde ich	interessant/einfach/lustig/gut/schwierig/langweilig/anstrengend.
Du auch?		
Ja, aber Erdkunde/Englisch/ . . .	finde ich	interessanter/einfacher/lustiger/besser/schwieriger/langweiliger/anstrengender.

(G)rammatik

Saying something is 'more . . .'

interessant – interessant**er**   *interesting – more interesting*
lustig – lustig**er**   *funny – funnier*
langweilig – langweilig**er**   *boring – more boring*
gut – **besser**   *good – better*

Lern weiter ▶ 1, Seite 42

2a **Hör zu. Sind sie derselben Meinung wie im Schul-Web? (1–7)**
Beispiel: **1** Nein

Schul-Web

BIST DU DERSELBEN MEINUNG? WENN JA, KLICK AN!

1 ● Deutsch ist interessanter als Englisch.

2 ○ Biologie ist schwieriger als Sport.

3 ○ Musik ist lustiger als Physik-Chemie.

4 ○ Sport ist anstrengender als Kunst.

5 ○ Religion ist besser als Französisch.

6 ○ Erdkunde ist einfacher als Geschichte.

7 ○ Englisch ist langweiliger als Physik-Chemie.

 2b **Bist du derselben Meinung wie im Schul-Web? Schreib deine Meinung auf.**
Beispiel: **1** Nein: Englisch ist interessanter als Deutsch.

2c **Partnerarbeit.**
Beispiel: ▲ (Deutsch) ist (interessanter) als (Englisch), nicht?
● Nein, das stimmt nicht. (Englisch) ist (interessanter) als (Deutsch).
▲ (Biologie) ist (schwieriger) als (Sport), nicht?
● Ja, das stimmt. (Biologie) ist (schwieriger) als (Sport).

Deutsch/Biologie/ Musik/Sport/ Religion/Erdkunde/ Englisch	ist	interessanter/lustiger/ besser/einfacher/ schwieriger/langweiliger/ anstrengender	als	Englisch/Sport/ Physik-Chemie/Kunst/ Französisch/Geschichte,	nicht?
Ja, das stimmt. / Nein, das stimmt nicht.					

Grammatik

Comparing two things

Sport ist lustiger als Englisch.   *Sport is more fun than English.*

3 **Hör zu und wiederhole. So spricht man ä, ö und ü aus.**

ä, ä, ä … ö, ö, ö … ü, ü, ü! So wie Fächer und Engländerin, Französisch und Österreicher, Bücher und München … ä, ö, ü … ä, ö, ü … ä, ö, ü! Immer Umlaut üben!

3 Die Hausordnung

Talking about what you aren't allowed to do at school

1a Hör zu und wiederhole. Welches Bild ist das? (1–6)
Beispiel: 1 e

Thomas-Mann-Gymnasium, Freiburg
Hausordnung

Was darf man nicht machen?
Folgendes:

a Man darf nicht rauchen.

d Man darf nicht im Gang rennen.

b Man darf nicht skaten.

e Man darf nicht im Klassenzimmer kauen.

c Man darf nicht frech sein.

f Man darf nicht zu spät zur Schule kommen.

1b Hör zu. Welche Punkte aus der Hausordnung nennen sie? (1–4)
Beispiel: 1 b, c

2a Welche Punkte oben findest du am wichtigsten? Schreib eine Liste von 1 (dem wichtigsten Punkt) bis 6 auf.
Beispiel: 1 Man darf nicht rauchen.
          2 Man darf nicht skaten.

2b Partnerarbeit.
Vergleicht eure Listen.
Beispiel: ▲ Nummer (eins). Was darf man nicht machen?
           ● Man darf nicht (rauchen). Was hast du?
           ▲ Man darf nicht (im Gang rennen).
           ● O.K. Nummer (zwei). Was darf man nicht machen?

Nummer eins/zwei/drei/vier/fünf/sechs.		
Was darf man nicht machen?		
		rauchen.
		skaten.
	im Klassenzimmer	kauen.
Man darf nicht	im Gang	rennen.
	frech	sein.
	zu spät zur Schule	kommen.

3a **Lies die E-Mail. An welchem Tag war das?**

Beispiel: a am Dienstag

a

b

c

d

e

> Von: Christopher Zganjer, 8R,
>   Thomas-Mann-Gymnasium
> An: Beatrix Zganjer
> Datum: 12.11.03, 14:19
> Betrifft: Probleme mit der Hausordnung!
>
> Hallo!
> Was für eine Woche! Am Montag bin ich zu spät zur
> Schule gekommen – der Wecker war kaputt! Am Dienstag
> war mein Fahrrad kaputt. Ich bin mit dem Skateboard
> zur Schule gefahren. Herr Volpp, der Deutschlehrer,
> hat das nicht lustig gefunden. Am Mittwoch habe ich
> Fußball gespielt, aber ich war ein bisschen frech
> zur Sportlehrerin. Am Donnerstag habe ich meinen
> Rucksack in der Kantine vergessen. Ich musste
> schnell dorthin rennen, aber Herr Volpp war im Gang.
> Tja! Am Freitag habe ich im Englischunterricht
> gekaut und Frau Rogosch hat das gesehen.
> Bis bald
> Christopher

war   *was*

> Keine Panik beim Lesen! Bild **a** ist ein
> Skateboard, also such dir schnell das
> Wort „Skateboard" im Text heraus.
> Du musst nicht alle Wörter verstehen
> – nur die wichtigsten!

3b **Mit welchen Punkten aus der Hausordnung hat Christopher ein Problem?**

Beispiel: Man darf nicht zu spät zur Schule kommen. (f)

4 **Was ist deine ideale Hausordnung? Was darf man machen? Schreib deine Ideen auf.**

Beispiel: Man darf skaten.
         Man darf fünfmal pro Woche zu spät zur Schule kommen.

Man darf . . .
Sportschuhe tragen.
ein Piercing haben.
viermal am Tag Musik haben.
im Gang rennen.
in der Pause kauen.

MINI-TEST

Check that you can:
- say how often you have subjects and what you think of them
- compare your school subjects
- talk about what you aren't allowed to do at school

4 Nächstes Trimester

Talking about what you have to do next term

1a **Hör zu und wiederhole. Wer spricht? (1–6)**
Beispiel: **1** Claudia

Was musst du nächstes Trimester machen?

Ich muss pünktlich sein.

Christopher

Ich muss Hausaufgaben machen.

Claudia

Ich muss viel Sport treiben.

Billy

Ich muss mit dem Rad zur Schule fahren.

Angela

Ich muss am Computer arbeiten.

Sven

Ich muss höflich sein.

Jan

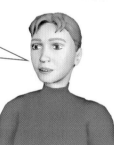

Imitiere die Personen auf der Kassette! So sprichst du gutes Deutsch. Immer imitieren!

1b **Partnerarbeit.**

Beispiel: ▲ Was musst du nächstes Trimester machen?
● Ich muss (höflich sein).
▲ Du bist (Jan).
● Richtig. Was musst du nächstes Trimester machen?

Was musst du nächstes Trimester machen?		
	pünktlich/höflich	sein.
	Hausaufgaben	machen.
Ich muss	viel Sport	treiben.
	mit dem Rad zur Schule	fahren.
	am Computer	arbeiten.

2a Hör zu. Was müssen sie nächstes Trimester machen? Mach Notizen. (1–6)

Beispiel: **1** Computer

 2b Was haben sie gesagt? Schreib jetzt Sätze auf. Hör noch mal zu und überprüfe es.

Beispiel: **1** Ich muss am Computer arbeiten.

3a Lies den Artikel und ordne die Bilder.

Beispiel: c, . . .

a   b   c   d   e

Die Klasse 8R hat interessante Ideen über die Schule.

In der idealen Schule muss man gar nicht zur Schule kommen! Man muss alles zu Hause lernen. Jeder Schüler muss einen Computer im Zimmer haben. Man muss alles vom Computer lernen.

● Man lernt Englisch mit einem Lehrer aus England.
● Man lernt Französisch mit einem Lehrer aus Frankreich.
● In Physik-Chemie muss man Experimente zu Hause machen. Aber pass auf!
● In Kunst muss man Computergrafiken zeichnen.
● In Sport hat man Fitnessprogramme im Internet.

Die Schule der Zukunft!

 3b Lies den Artikel noch mal und wähl die richtige Antwort aus.

Beispiel: **1** Die Klasse 8R hat interessante Ideen über die ideale Schule.

1 Die Klasse 8R hat interessante/lustige/langweilige Ideen über die ideale Schule.
2 In der idealen Schule muss man alles in der Kantine / zu Hause / in der Schule lernen.
3 Man muss einen Rucksack/Fernseher/Computer im Zimmer haben.
4 Der Französischlehrer ist in England/Frankreich/Deutschland.
5 In Englisch/Kunst/Physik-Chemie muss man Experimente machen.

 4 Was sind deine Ideen für eine ideale Schule? Schreib sie auf.

Beispiel: Man muss keine Hausaufgaben machen. Man muss
am Computer viel Schach spielen.

Man muss . . .
keine Uniform tragen.
immer zu spät kommen.
mit dem Bus zur Schule fahren.
frech sein.

chess *n* Schach *nt*

Wie sagt man „chess" auf Deutsch? Ich weiß es. Ich schaue ins englisch-deutsche Wörterbuch!

5 Zekis Schule, meine Schule

Comparing your school with a German school

1a **Hör zu und wiederhole. Welcher Satz ist das? (1–7)**
Beispiel: 1 f

a

Um halb sieben
stehe ich auf.

b

Um Viertel nach sieben fahre
ich mit dem Rad zur Schule.

c

Um zehn vor acht beginnt die
Schule. Ich trage keine Uniform.

d *Stundenplan*

8·00		mem mm
8·45		mm m
9·30		mun m
10·15		mm m.
11·30		om hm.
12·15		hmom —

Ich habe sechs
Stunden pro Tag.

e

Um ein Uhr endet
die Schule.

f

Ich esse zu Hause
zu Mittag.

g

Am Nachmittag
habe ich frei.

1b **Was sagt Zeki dann? Kopiere den Satz.**
Beispiel: a Am Nachmittag habe ich frei.

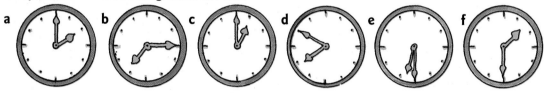

a   b   c   d   e   f

Grammatik

Word order: verb = number 2

1	2	
Ich	**habe**	sechs Stunden pro Tag.
Um halb sieben	**stehe**	ich auf.

Lern weiter ▶ 4, Seite 43

2a **Wie ist dein Schultag? Kopiere und ändere die Sätze für dich.**

Beispiel: **1** Um acht Uhr stehe ich auf.

1 Um halb sieben / acht Uhr / Viertel vor sieben / . . . stehe ich auf.

2 Um Viertel nach sieben / halb acht / acht Uhr / . . . fahre ich mit dem Rad/Bus/Auto zur Schule.

3 Um zehn vor acht / halb neun / neun Uhr / . . . beginnt die Schule.

4 Ich trage keine/eine Uniform.

5 Ich habe fünf/sechs/sieben/acht/ . . . Stunden pro Tag.

6 Um ein Uhr / drei Uhr / Viertel nach drei / . . . endet die Schule.

7 Ich esse zu Hause / in der Schule zu Mittag.

8 Am Nachmittag habe ich frei / bin ich in der Schule.

Um Gegen	sieben Uhr / halb sieben / Viertel nach acht / Viertel vor neun / . . .		stehe ich auf. fahre ich mit dem Rad/Bus/Auto zur Schule. beginnt/endet die Schule.
Ich		esse	zu Hause / in der Schule zu Mittag.
		trage	keine/eine Uniform.
		habe	fünf/sechs/sieben/acht/ . . . Stunden pro Tag.
Am Nachmittag		habe	ich frei.
		bin	ich in der Schule.

2b **Partnerarbeit. Bist du Zeki oder du selber?**

Beispiel: ▲ Um halb sieben stehe ich auf.

● Du bist Zeki.

▲ Richtig.

3 **Hör zu. Gehen sie auf eine britische (B) oder eine deutsche (D) Schule? (1–10)**

Beispiel: **1** B

4a **Lies den Text rechts. Richtig oder falsch?**

Beispiel: **1** F (falsch)

1 Mira ist sechzehn Jahre alt.

2 Die Theaterschule ist in Bremen.

3 Die Schule endet um fünf Uhr.

4 Gegen ein Uhr isst Mira in der Kantine.

5 Mira trägt eine Uniform.

6 Deutsch findet Mira schwierig.

7 Am Nachmittag hat Mira frei.

8 Mira singt, tanzt und macht Theater.

Ich heiße Mira Nikolowski und ich bin fünfzehn Jahre alt. Ich gehe auf die Theaterschule in Bremen. Um acht Uhr beginnt die Schule. Um fünf Uhr endet die Schule. Ich esse in der Kantine zu Mittag. Ich trage eine Uniform. Ich habe sechs Stunden pro Tag. Deutsch finde ich interessant. Mathe finde ich schwierig. Am Nachmittag habe ich Theaterunterricht. Ich singe, tanze und mache viel Theater.

4b **Ändere die unterstrichenen Wörter oben im Text und beschreib deine (ideale) Schule.**

Beispiel: Ich heiße Tom Winterburn und ich bin vierzehn Jahre alt. Ich gehe auf die Zirkusschule in Schottland. Um elf Uhr beginnt die Schule. Um vier Uhr endet die Schule ...

eine Sportschule   eine Musikschule   eine Computerschule

6 Wo ist die Bibliothek?

Naming some rooms at school
Giving directions to some rooms

1a Sieh dir den Plan an. Was passt zusammen? Hör dann zu und überprüfe es. (1–8)
Beispiel: 1 a

1 die Aula	2 das Lehrerzimmer	3 das Klassenzimmer	4 das Labor
5 die Bibliothek	6 der Computerraum	7 die Toilette	8 der Musiksaal

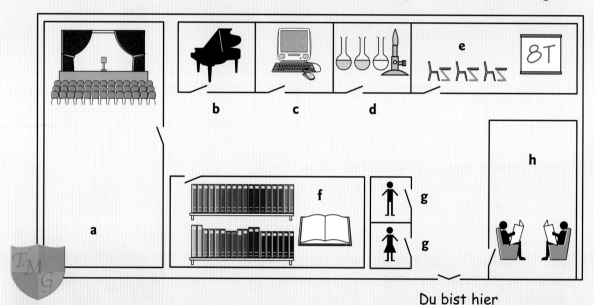

Thomas-Mann-Gymnasium, Freiburg

Du bist hier

1b Partnerarbeit.

Beispiel: ▲ Was ist (a)?
● Das ist (die Aula).
▲ Richtig.

Was ist a/b/c/ . . . ?		
	der	Musiksaal/Computerraum.
Das ist	die	Aula/Bibliothek/Toilette.
	das	Lehrerzimmer/Labor/Klassenzimmer.

Grammatik

Genders: *der/die/das*

masculine	**der** (Computerraum)
feminine	**die** (Aula)
neuter	**das** (Klassenzimmer)

Lern weiter ▶ 5, Seite 43

2 Welches Zimmer ist das?

Beispiel: 1 das Lehrerzimmer

1 Hier findet man die Lehrer in der Pause.
2 Hier hat man Biologie oder Physik-Chemie.
3 Hier gibt es viele Computer. Man kann hier im Internet surfen.
4 Hier gibt es hunderte von Büchern. Hier muss man ruhig sein.
5 Hier lernt man ein Instrument oder man singt und tanzt.

3a Was passt zusammen?

Beispiel: 1 d

1 Gehen Sie geradeaus.
2 Gehen Sie nach links.
3 Das Zimmer ist auf der rechten Seite.
4 Geh nach rechts.
5 Der Saal ist auf der linken Seite.

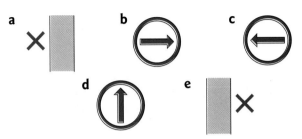

3b Hör zu. Welches Bild ist das? (1–6)

Beispiel: 1 c

4 Hör zu. Sieh dir den Plan auf Seite 36 an. Sind die Anweisungen richtig oder falsch? (1–6)

Beispiel: 1 F (falsch)

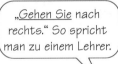

„*Gehen Sie* nach rechts." So spricht man zu einem Lehrer.

„*Geh* nach rechts." So spricht man zu einem Schüler.

5 Partnerarbeit.

Beispiel: ▲ Entschuldigung, wo ist (der Computerraum)?
● (Geh) (geradeaus) und dann (nach links). (Der Computerraum) ist auf der (rechten) Seite.
▲ Vielen Dank.
● Bitte sehr.

Wo ist der/die/das . . . ?	
Gehen Sie / Geh	geradeaus und dann . . .
	nach links/rechts.
Der/Die/Das . . . ist auf der linken/rechten Seite.	

6 Schreib Anweisungen für diese Leute.

Beispiel: 1 Gehen Sie geradeaus. Das Lehrerzimmer ist auf der rechten Seite.

1 Herr Thomas sucht das Lehrerzimmer.
2 Frau Schweigert sucht die Toilette.
3 Sabine (14 Jahre alt) sucht den Musiksaal.
4 Ruth (13 Jahre alt) sucht die Bibliothek.
5 Herr Weizmann sucht das Klassenzimmer.
6 Frau Lensbach sucht die Aula.

7 Lehrerzeugnis

1a Lies das Zeugnis. Wer unterrichtet das?
Beispiel: a Frau Adib

a

b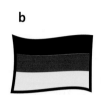

c

d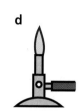

e

Deutsch	Die Klassen finden Herrn Thomas sehr langweilig. Die Stunden waren langweiliger als letztes Trimester. Er war auch sehr unpünktlich. Nächstes Trimester muss er interessanter sein. Herr Thomas sieht aber immer gut aus – bravo, Herr Thomas!
Sport	Sport ist nicht Frau Adibs Lieblingsfach. Sie kann nicht Fußball spielen, sie findet Leichtathletik sehr anstrengend und sie ist nie in der Sporthalle. Frau Adib raucht auch zu viel. Sie muss fitter werden und mehr Sport treiben.
Kunst	Herr Grün ist sehr langweilig. Die Klasse malt nur Pflanzen und Katzen, und das ist nicht sehr interessant. Herr Grün hat auch ein Zungenpiercing – das darf man an der Schule nicht haben. Herr Grün hat eine Klassenfahrt zur Nationalgalerie organisiert und der Tag war echt klasse. Also, vielen Dank, Herr Grün!
Physik-Chemie	Frau Stribel kommt immer zu spät ins Labor. Ihre Stunden sind sehr schwierig. Frau Stribel trinkt manchmal Alkohol in der Schule und das darf man nicht machen. Frau Stribel kann sehr gut singen und sie hat im Konzert mitgesungen – das finden wir sehr gut.
Musik	Leider ist Herr Weizmann nicht sehr musikalisch. Im Musiksaal gibt's immer Krach, und wo ist Herr Weizmann? Er sitzt im Lehrerzimmer und trinkt Kaffee.

1b Wer ist das?

Beispiel: 1 Frau Adib

1 Wer ist nicht sehr sportlich?
2 Wer ist nicht sehr musikalisch?
3 Wer ist sehr langweilig?

4 Wer kommt immer zu spät?
5 Wer hat ein Zungenpiercing?
6 Wer hat Alkohol getrunken?

2 Hör zu und wähl die richtige Antwort aus. (1–3)

Beispiel: 1A c

1A Frau Ackermann unterrichtet **a)** Deutsch, **b)** Französisch, **c)** Englisch.
1B Sie hat **a)** drei, **b)** sechs, **c)** zehn Stunden pro Woche.
1C Die Klassen finden Frau Ackermann **a)** lustig, **b)** interessant, **c)** langweilig.
1D Sie fährt mit **a)** dem Bus, **b)** dem Rad, **c)** dem Auto zur Schule.

2A Herr Finkbein unterrichtet **a)** Biologie, **b)** Kunst, **c)** Musik.
2B Er findet das **a)** langweilig, **b)** anstrengend, **c)** schwierig.
2C Herr Finkbein isst zu Mittag **a)** in der Kantine, **b)** zu Hause, **c)** in der Stadt.
2D In den Ferien muss er **a)** Sport treiben, **b)** pünktlich sein, **c)** am Computer arbeiten.

3A Frau Schulz unterrichtet **a)** Geschichte, **b)** Erdkunde, **c)** Physik-Chemie.
3B Sie findet das **a)** anstrengend, **b)** schwierig, **c)** langweilig.
3C Am Nachmittag **a)** geht sie ins Kino, **b)** spielt sie Fußball, **c)** ist sie im Lehrerzimmer.
3D Nächstes Trimester muss sie **a)** eine neue Schule finden, **b)** höflich sein, **c)** Sport treiben.

3 Partnerarbeit. Wie sind eure Lehrer/innen? Schreibt ein Lehrerzeugnis wie auf Seite 38 und nehmt es auf Kassette auf.

Beispiel: Mathe: Mathe ist nicht Frau Whites Lieblingsfach. Die Stunden sind sehr langweilig. Frau White ist nicht sehr höflich. Nächstes Trimester muss sie höflicher sein. Frau White sieht aber immer sehr gut aus – bravo, Frau White.

X ist sehr langweilig/lustig/interessant/ . . .
Die Stunden waren langweiliger/lustiger/interessanter/besser als letztes Trimester.
Sie/Er war auch sehr unpünktlich/höflich/frech/ . . .
Nächstes Trimester muss er interessanter/lustiger/höflicher/
    . . . sein.
X sieht aber immer gut/schlecht aus.
Sport/Kunst/Musik ist nicht Frau/Herrn Xs Lieblingsfach.
Er/Sie kann nicht Fußball spielen / singen / zeichnen / . . .
X kann sehr gut singen/tanzen – das finden wir sehr gut.
X raucht / trinkt / kaut im Klassenzimmer / hat ein Zungenpiercing.
Leider ist X nicht sehr musikalisch/sportlich/intelligent/ . . .
Bravo, X!

Lernzieltest Check that you can:

1
- ask a friend how often he/she has a subject — *Wie oft hast du Biologie/Französisch?*
- say how often you have a subject — *Einmal, zweimal, dreimal, viermal, fünfmal . . .*
- ask a friend what he/she thinks of a subject — *Wie findest du Mathe/Deutsch?*
- say what you think of a subject — *Englisch finde ich einfach. Sport finde ich anstrengend.*

2
- find out whether a friend has the same opinion on school subjects as you — *Physik-Chemie finde ich gut. Du auch?*
- say you find a subject better — *Ja, aber Sport finde ich besser.*
- compare two subjects — *Deutsch ist interessanter als Kunst, nicht?*
- agree or disagree — *Ja, das stimmt. Nein, das stimmt nicht.*

3
- ask what you aren't allowed to do at school — *Was darf man an der Schule nicht machen?*
- say what you aren't allowed to do at school — *Man darf nicht skaten. Man darf nicht zu spät zur Schule kommen. Man darf nicht im Gang rennen.*

4
- ask a friend what he/she has to do next term — *Was musst du nächstes Trimester machen?*
- say what you have to do next term — *Ich muss pünktlich sein. Ich muss viel Sport treiben. Ich muss höflich sein.*

5
- talk about your school day — *Um acht Uhr stehe ich auf. Um neun Uhr beginnt die Schule. Ich trage eine Uniform. Am Nachmittag bin ich in der Schule.*

6
- ask what rooms on a plan are — *Was ist a/b/c?*
- say what rooms on a plan are — *Das ist der Computerraum / die Bibliothek / das Lehrerzimmer.*
- ask where rooms are — *Entschuldigung, wo ist der Musiksaal? Wo ist die Aula? Wo ist das Labor?*
- direct a friend to a room — *Geh geradeaus und dann nach links/rechts. Die Aula ist auf der rechten/linken Seite.*
- direct a teacher to a room — *Gehen Sie geradeaus und dann nach links/rechts.*

Wiederholung

1 Hör zu. Welches Fach ist das? (1–8)
Beispiel: 1 f

a   b   c   d  e   f   g   h

2 Hör zu. Was müssen sie nächstes Trimester machen? (1–6)
Beispiel: 1 mehr Sport treiben

3 **Partnerarbeit.**

　　Beispiel: ▲ Wo ist (die Toilette), bitte?
　　　　　　● (Geh) (geradeaus) und dann (nach rechts). (Die Toilette) ist auf der (linken) Seite.
　　　　　　▲ Vielen Dank.
　　　　　　● Bitte sehr.

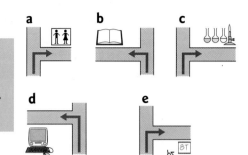

> das Klassenzimmer, das Labor, die Bibliothek,
> der Computerraum, die Toilette
> Gehen Sie / Geh geradeaus und dann nach links/rechts.
> X ist auf der linken/rechten Seite.

4 **Was passt zusammen?**

　　Beispiel: 1 e

　　1　Man darf nicht rauchen.
　　2　Man darf nicht im
　　　　Klassenzimmer kauen.
　　3　Man darf nicht skaten.
　　4　Man darf nicht frech sein.
　　5　Man darf nicht zu spät zur
　　　　Schule kommen.
　　6　Man darf nicht im Gang rennen.

5 **Lies die E-Mail. Richtig oder falsch?**

　　Beispiel: 1 R (richtig)

```
Hallo Ellie,
jetzt schreibe ich über meine Schule!
Ich bin in der achten Klasse und ich
finde Deutsch, Erdkunde und Englisch
super. Physik-Chemie finde ich sehr
schwierig. Um Viertel vor acht beginnt
die Schule und um halb eins endet sie.
Ich trage keine Uniform und zu Mittag
esse ich meistens zu Hause. Ich fahre
mit dem Rad zur Schule. Am Nachmittag
treffe ich meine Freundinnen und ich
mache Hausaufgaben. Wie ist deine
Schule? Ist sie wie meine?
Schreib bald!
Deine Judith
```

　　1　Judith ist in der achten Klasse.
　　2　Judith findet Deutsch schwierig.
　　3　Die Schule beginnt um Viertel
　　　　vor neun.
　　4　Die Schule endet um halb eins.
　　5　Judith trägt keine Uniform.
　　6　Zu Mittag isst Judith in der
　　　　Kantine.
　　7　Judith fährt mit dem Rad zur
　　　　Schule.
　　8　Am Nachmittag macht Judith
　　　　Hausaufgaben.

6 **Was fragst du in Übung 3? Schreib es auf.**

　　Beispiel: a Wo ist die Toilette?

7 **Schreib eine E-Mail an Judith. Beantworte ihre Fragen.**

Grammatik

1 Saying something is 'more . . .'

To say something is 'more' (interesting, boring, etc.), you usually add **-er** to the end of the adjective.

interessant *(interesting)*   **interessant<u>er</u>** *(more interesting)*
lustig *(funny)*   **lustig<u>er</u>** *(funnier)*
langweilig *(boring)*   **langweilig<u>er</u>** *(more boring)*

Notice that **gut** is like *good* in English: it is irregular.

gut *(good)*   **<u>besser</u>** *(better)*

Go one better each time!
Beispiel: **1** Sport ist gut, aber Deutsch ist besser.

1 Sport ist gut, aber Deutsch ist . . .
2 Erdkunde ist langweilig, aber Geschichte ist . . .
3 Kunst ist lustig, aber Musik ist . . .
4 Englisch ist einfach, aber Deutsch ist . . .
5 Physik-Chemie ist schwierig, aber Französisch ist . . .
6 Fußball ist anstrengend, aber Hockey ist . . .
7 Frau Roth ist gut, aber Herr Werner ist . . .

2 Talking about what you (people in general) aren't allowed to do (*man darf nicht*)

Was <u>darf</u> man nicht <u>machen</u>?   *What aren't you allowed to do?*
Man <u>darf</u> nicht <u>rauchen</u>.   *You're not allowed to smoke.*
Man <u>darf</u> nicht <u>kauen</u>.   *You're not allowed to chew gum.*

Look at the order of the sentence:

1	*2*	*3*
Man	**darf nicht**	**rauchen.**

Now order these sentences to find out what you aren't allowed to do at school.
Use the pictures below to help you.
Beispiel: **1** Man darf nicht frech sein.

1 frech sein Man darf nicht
2 Man skaten darf nicht
3 im Klassenzimmer kauen darf nicht Man
4 zu spät zur Schule kommen Man darf nicht
5 darf nicht Man rauchen

1    **2**    **3**    **4**    **5**

3 Talking about what people have to do *(ich muss . . . , du musst . . .)*

Was <u>musst</u> du in der Schule <u>machen</u>?   *What do you have to do at school?*
Ich <u>muss</u> höflich <u>sein</u>.   *I have to be polite.*
Ich <u>muss</u> am Computer <u>arbeiten</u>.   *I have to work on the computer.*

Look at the order of the sentence:

1	2	3	End
Ich	**muss**	**am Computer**	**arbeiten.**

Ich comes first, **muss** comes second and the second verb (e.g. **arbeiten**) always comes at the end of the sentence.

Put the words in the right order to find out what these people have to do at school.
Beispiel: 1 Ich muss pünktlich sein.

1 Ich pünktlich muss sein
2 machen Hausaufgaben Ich muss
3 sein höflich Ich muss
4 muss mehr Sport Ich treiben
5 Ich muss arbeiten am Computer

4 Word order

In German, the order of ideas is not the same as in English. In a German sentence the verb is always the second idea. You can start your sentence with a pronoun (**ich, du, er**) or with a time expression (e.g. **Um acht Uhr**):

1	2	3	
Ich	**habe**	**sechs Stunden pro Tag.**	*I have six lessons a day.*
Um acht Uhr	**gehe**	**ich in die Schule.**	*I go to school at eight o'clock.*

Notice that the verb comes just after **ich** or **um acht Uhr**.

Put the verb into these sentences in the right place.
Beispiel: 1 Um acht Uhr gehe ich in die Schule.

1 Um acht Uhr ich in die Schule. (gehe)
2 Um halb acht ich mit dem Rad zur Schule. (fahre)
3 Um Viertel nach acht die Schule. (beginnt)
4 Ich keine Uniform. (trage)
5 Ich sieben Stunden pro Tag. (habe)
6 Um zwanzig nach eins die Schule. (endet)
7 Am Nachmittag ich frei. (habe)
8 Ich zu Hause zu Mittag. (esse)

5 *Der, die* and *das* (gender of nouns)

Nouns in German are masculine (**der**), feminine (**die**) or neuter (**das**).

m   **der**   <u>der</u> **Computerraum** *(the computer room)*
f   **die**   <u>die</u> **Aula** *(the hall)*
n   **das**   <u>das</u> **Lehrerzimmer** *(the staff room)*

Complete these questions with the correct word for *the*.
Beispiel: 1 Wo ist die Toilette?

1 Wo ist . . . Toilette? *(f)*
2 Wo ist . . . Computerraum? *(m)*
3 Wo ist . . . Musiksaal? *(m)*
4 Wo ist . . . Klassenzimmer? *(n)*
5 Wo ist . . . . Labor? *(n)*
6 Wo ist . . . Bibliothek? *(f)*

Wörter

Schulfächer — *School subjects*

Wie findest du . . . — *How do you find . . .*
  Biologie? — *biology?*
  Deutsch? — *German?*
  Englisch? — *English?*
  Erdkunde? — *geography?*
  Französisch? — *French?*
  Geschichte? — *history?*
  Kunst? — *art?*
  Mathe? — *maths?*
  Musik? — *music?*
  Physik-Chemie? — *physics and chemistry?*

  Religion? — *religious studies?*
  Sport? — *sport?*
(Sport) finde ich (einfach). — *I find (sport) (easy).*

anstrengend — *tiring*
einfach — *easy*
interessant — *interesting*
langweilig — *boring*
lustig — *fun*
schwierig — *difficult*
Wie oft hast du (Mathe)? — *How often do you have (maths)?*

Einmal in der Woche. — *Once a week.*
zweimal — *twice*
dreimal — *three times*
viermal — *four times*
fünfmal — *five times*

Fächervergleich — *Comparing school subjects*

(Mathe) finde ich interessant. Du auch? — *I find (maths) interesting. Do you?*
Ja, aber . . . — *Yes, but . . .*
  (Deutsch) finde ich anstrengender. — *I find (German) more tiring.*
  (Deutsch) finde ich besser. — *I find (German) better.*
  (Deutsch) finde ich einfacher. — *I find (German) easier.*
  (Deutsch) finde ich interessanter. — *I find (German) more interesting.*
  (Deutsch) finde ich langweiliger. — *I find (German) more boring.*
  (Deutsch) finde ich lustiger. — *I find (German) more fun.*
  (Deutsch) finde ich schwieriger. — *I find (German) more difficult.*
(Deutsch) ist besser als (Biologie), nicht? — *(German) is better than (biology), isn't it?*
Ja, das stimmt. — *Yes, that's right.*
Nein, das stimmt nicht. — *No, that's not right.*

Die Hausordnung — *School rules*

Was darf man machen? — *What are you allowed to do?*

Was darf man nicht machen? — *What aren't you allowed to do?*
Man darf nicht frech sein. — *You aren't allowed to be cheeky.*
Man darf nicht im Gang rennen. — *You aren't allowed to run in the corridor.*
Man darf nicht im Klassenzimmer kauen. — *You aren't allowed to chew gum in the classroom.*
Man darf nicht rauchen. — *You aren't allowed to smoke.*
Man darf nicht skaten. — *You aren't allowed to skateboard.*
Man darf nicht zu spät zur Schule kommen. — *You aren't allowed to be late for school.*

Nächstes Trimester — *Next term*

Was musst du nächstes Trimester machen? — *What must you do next term?*
Ich muss am Computer arbeiten. — *I must work on the computer.*
Ich muss Hausaufgaben machen. — *I must do my homework.*
Ich muss höflich sein. — *I must be polite.*
Ich muss viel Sport treiben. — *I must do lots of sport.*
Ich muss mit dem Rad zur Schule fahren. — *I must cycle to school.*
Ich muss pünktlich sein. — *I must be punctual.*

Meine Schule

Um (sieben Uhr) stehe ich auf.
Gegen (acht Uhr) fahre ich (mit dem Auto) zur Schule.
mit dem Auto
mit dem Bus
mit dem Rad
Um (Viertel vor neun) beginnt die Schule.
Um (halb vier) endet die Schule.
Ich esse zu Hause zu Mittag.
Ich esse in der Schule zu Mittag.
Am Nachmittag habe ich frei.
Am Nachmittag bin ich in der Schule.
Ich trage eine Uniform.
Ich trage keine Uniform.
Ich habe (fünf) Stunden pro Tag.

My school

I get up at (seven o'clock).
About (eight o'clock) I go to school (by car).

by car
by bus
by bike
School starts at (quarter to nine).
School ends at (half past three).
I eat lunch at home.

I eat lunch at school.

I'm free in the afternoon.
I'm at school in the afternoon.
I wear a uniform.
I don't wear a uniform.
I have (five) lessons a day.

Das Schulgebäude

Das ist . . .
der Computerraum.
der Musiksaal.
die Aula.
die Bibliothek.
die Toilette.
das Klassenzimmer.
das Labor.
das Lehrerzimmer.
Wo ist der (Computerraum)?
Wo ist die (Aula)?
Wo ist das (Labor)?

Geh geradeaus.
Geh nach links.
Geh nach rechts.
Gehen Sie geradeaus.
Gehen Sie nach links.
Gehen Sie nach rechts.
Der (Computerraum) ist auf der linken Seite.
Die (Aula) ist auf der rechten Seite.
Das (Labor) ist auf der linken Seite.
Vielen Dank.
Bitte sehr.

The school building

That is . . .
the computer room.
the music room.
the hall.
the library.
the toilet.
the classroom.
the science lab.
the staff room.
Where is the (computer room)?
Where is the (hall)?
Where is the (science lab)?

Go straight on.
Go left.
Go right.
Go straight on. (formal)
Go left. (formal)
Go right. (formal)
The (computer room) is on the left-hand side.
The (hall) is on the right-hand side.
The (science lab) is on the left-hand side.
Thank you.
You're welcome.

3 Österreich und die Umwelt

1 Österreich für alle

Talking about what you want to do in Austria

1a Hör zu. Welches Bild ist das? (1–6)
Beispiel: 1 f

Was willst du in Österreich machen?

a

Ich will Ski fahren.

b

Ich will Wassersport treiben.

c

Ich will wandern gehen.

d

Ich will Salzburg besichtigen.

e
Ich will Deutsch lernen.

f
Ich will im See baden.

1b Partnerarbeit. Memoryspiel: Ergänzt eure Sätze.
Beispiel: ▲ Was willst du in Österreich machen?
● Ich will (Ski) . . .
▲ (fahren).
● Was willst du in Österreich machen?
▲ Ich will (Deutsch) . . .
● (lernen).

Grammatik

Will + infinitive to end

Was **willst** du **machen**?
Ich **will** Deutsch **lernen**.
Er **will** Ski **fahren**.

Lern weiter ▶ 1, Seite 62

Was willst du in Österreich machen?		
Ich will	Ski	fahren.
	Wassersport	treiben.
	wandern	gehen.
	Salzburg	besichtigen.
	Deutsch	lernen.
	im See	baden.

Hast du Probleme mit der neuen Grammatik? Dann sieh dir die Grammatik auf Seite 62 an – so wird dein Deutsch besser!

2a Hör zu. Schreib die Tabelle ab und füll sie aus. (1–6)

	Wohin?	Warum?
1	Gmunden	Wassersport

 2b Was wollen die Leute aus Übung 2a machen?
Beispiel: Person 1 will Wassersport treiben.

 3a Wähl zwei Gründe aus Seite 46 aus.
Beispiel: Ich will Ski fahren und ich will Deutsch lernen.

3b Gruppenarbeit.
Beispiel: ▲ Paul, was willst du in Österreich machen?
● Ich will (wandern gehen) und ich will (Ski fahren).
Und du? Was willst du in Österreich machen?
▲ Ach, ich will (Ski fahren) und ich will (Deutsch lernen). Rachel, was willst du in Österreich machen?

Mozartkugeln essen
Kaffee trinken
Mountainbike fahren
ein Piercing bekommen

 3c Schreib deine Resultate auf.
Beispiel: Ich will Ski fahren und ich will Deutsch lernen.
Paul will wandern gehen und er will Ski fahren.
Rachel will Deutsch lernen und sie will im See baden.

 4a Lies den Text. Ist das im Text – ja oder nein?
Beispiel: a Nein

a   b    c

d    e    f

Servus! Ich heiße Rico und ich bin fünfzehn Jahre alt. Ich bin Österreicher und ich wohne in der Nähe von Graz. Das ist in Österreich. Ungefähr acht Millionen Leute wohnen in Österreich. Viele Touristen kommen nach Österreich. Sie wollen meistens Ski fahren, Wassersport treiben und wandern gehen. Österreich finde ich sehr schön.

Schreib deinen Text am Computer! Dann korrigiere ihn und mach eine Kopie für dein Deutschheft.

 4b Schreib Ricos Text am Computer. Dann ändere die unterstrichenen Wörter für dich.
Beispiel: Servus! Ich heiße Ben und ich bin vierzehn Jahre alt.

2 Österreich zu jeder Jahreszeit

Talking about what people do in each season

1a Sieh dir die Tabelle unten an. Was passt zusammen?
Beispiel: 1 f

1 Im Sommer geht Rico schwimmen.
2 Im Winter fährt Jana Ski.
3 Im Frühling geht Jana einkaufen.
4 Im Herbst spielt Rico Fußball.

5 Im Winter geht Rico ins Kino.
6 Im Sommer macht Jana Radtouren.
7 Im Frühling spielt Rico Tennis.
8 Im Herbst geht Jana wandern.

		Jana		Rico	
	im Winter	a		b	
	im Frühling	c		d	
	im Sommer	e		f	
	im Herbst	g		h	

1b Hör zu. Welches Bild ist das? (1–8)
Beispiel: 1 b

1c Partnerarbeit.
Beispiel: ▲ Was macht (Jana) im (Sommer)?
          ● Im (Sommer) (macht sie Radtouren).
          ▲ Was macht (Rico) im (Herbst)?
          ● Im (Herbst) (spielt er Fußball).

Was macht Jana/Rico im Winter/Frühling/Sommer/Herbst?				
	Winter	geht		wandern / schwimmen / einkaufen / ins Kino.
Im	Frühling	macht	sie	Radtouren.
	Sommer	spielt	er	Fußball/Tennis.
	Herbst	fährt		Ski.

1d Beantworte die Fragen.
Beispiel: 1 Im Winter fährt sie Ski.

1 Was macht Jana im Winter?
2 Was macht Rico im Frühling?
3 Was macht Rico im Sommer?

4 Was macht Jana im Herbst?
5 Was macht Rico im Winter?
6 Was macht Jana im Sommer?

2 Hör zu. Schreib die Tabelle ab und füll sie aus. (1–4)

	Jahreszeit	Aktivität	☺ ☹
1	Som.	schwimm.	✓

> Mach Notizen! Schreib nur schnell und kurz. Du hörst „im Sommer . . .", du schreibst nur: „Som.".

3 Lies den Text. Wann macht Annabel das?
Beispiel: a im Sommer

a b c d

Servus! Ich heiße Annabel und ich wohne in Österreich. Im Winter schneit es, also fahre ich Ski. Das finde ich super, aber auch ein bisschen anstrengend. Im Frühling gehe ich oft schwimmen. Das finde ich toll. Im Sommer spiele ich Tennis. Leider kann ich nicht sehr gut spielen, also finde ich das ein bisschen langweilig. Im Herbst ist es oft warm und sonnig, also mache ich Radtouren. Das finde ich super und ich nehme oft ein Picknick mit.

Grammatik

Present tense singular

	ich (I)	**du** (you)	**er** (he) / **sie** (she)
gehen (to go)	gehe	gehst	geht
spielen (to play)	spiele	spielst	spielt
machen (to do)	mache	machst	macht
fahren (to drive/go)	fahre	fährst	fährt

Lern weiter ▶ 2, Seite 62; Seite 135

4a Partnerarbeit. Stell Fragen über die vier Jahreszeiten.
Beispiel: ▲ Neil, was machst du im (Sommer)?
● Im (Sommer) (gehe) ich (schwimmen).
▲ Was machst du im (Frühling)?

	Winter	gehe		wandern / schwimmen / einkaufen / ins Kino.
Im	Frühling	mache	ich	Radtouren.
	Sommer	spiele		Fußball/Tennis.
	Herbst	fahre		Ski.

4b Schreib deine Resultate in einer Tabelle wie in Übung 1a auf. Schreib auch Sätze dazu.
Beispiel: Im Sommer mache ich Radtouren. Im Sommer geht Neil schwimmen.

	ich	Neil
im Sommer		
im Frühling		
im Herbst		
im Winter		

3 Stadt oder Dorf?

Talking about where you live

1a Hör zu und lies. Welches Foto gehört wem?

> Servus! Ich heiße Jana und ich wohne in einem Dorf in den Bergen. Ich mag es hier. Die Luft ist sehr sauber und ich habe viele Freunde hier. Im Winter kann ich auch Ski fahren. Leider gibt es im Dorf kein Kino.

> Hallo! Ich heiße Annabel und ich wohne in Salzburg. Ich mag es hier. Es ist viel los und es gibt viele Cafés, Geschäfte und Kinos. Leider ist die Luft nicht sehr sauber.

> Grüß dich! Ich bin Rico und ich wohne auf dem Land. Ich finde es sehr langweilig hier. Es ist nichts los und es gibt keine Cafés, keine Kinos und keine Geschäfte. Ich habe auch keine Freunde hier. Aber die Luft ist sehr sauber!

1b Ist das Jana, Annabel oder Rico?
Beispiel: 1 Rico

1 Hier gibt es nichts für junge Leute.
2 Hier ist die Luft nicht sehr sauber.
3 Hier kann man Ski fahren.
4 Hier kann man einkaufen gehen, einen Film sehen und im Café essen.

5 Hier kann man nicht einkaufen gehen.
6 Hier ist viel los.
7 Hier ist es nicht sehr interessant.

2a Ist das positiv oder negativ? Finde die Paare.
Beispiel: 1 Negativ – **4** Positiv

1 Ich habe keine Freunde hier.
2 Die Luft ist sehr sauber.
3 Hier ist viel los.
4 Ich habe viele Freunde hier.
5 Hier ist nichts los.

6 Es gibt keine Cafés, Kinos oder Geschäfte.
7 Die Luft ist nicht sehr sauber.
8 Ich finde es sehr langweilig hier.
9 Ich mag es hier.
10 Es gibt viele Cafés, Kinos und Geschäfte.

2b Partnerarbeit. Sag immer das Gegenteil!
Beispiel: ▲ Hier ist viel los.
       ● Hier ist nichts los.

3 **Hör zu. Such dir drei Stichwörter (A, B, C) für jede Person aus. (1–4)**
Beispiel: **1 A** Graz, **B** viel los, **C** Geschäfte sind toll

A
Graz
in einem Dorf
Wien
auf dem Land

B
langweilig
Luft ist nicht sauber
viel los
viele Freunde

C
keine Cafés
keine Freunde
Geschäfte sind toll
Ski fahren

4 **Partnerarbeit.**

Beispiel: ▲ Wo wohnst du, (Elisa)?
● Ich wohne (auf dem Land).
▲ Wohnst du gern dort?
● (Ja. Die Luft ist sehr sauber und ich habe viele Freunde hier.)

Elisa    **Bianca**    **Daniel**

Wo wohnst du?	
Ich wohne	in Wien / in einem Dorf / auf dem Land.
Wohnst du gern dort?	
Ja./Nein.	Ich habe keine/viele Freunde hier.
	Hier ist viel/nichts los.
	Die Luft ist (nicht) sehr sauber.
	Es gibt keine/viele Cafés/Kinos/Geschäfte.

> Schreib deine Präsentation am Computer und druck sie aus. Nimm sie auf Kassette auf. Willst du den Text ändern? Druck die neue Version aus und nimm sie wieder auf Kassette auf.

 5a **Beantworte die Fragen.**

Beispiel: **1** Ich wohne in einem Dorf auf dem Land.

1 Wo wohnst du?
2 Wie ist die Luft?
3 Ist viel los?
4 Hast du viele Freunde dort?
5 Gibt es viele Cafés, Kinos und Geschäfte?

 5b **Schreib am Computer eine Präsentation über deinen Wohnort.**

Beispiel:

Ich schreibe Texte am Computer. So schreibt man besser!

Grüß dich. Ich heiße (Oliver) und ich wohne (in einem Dorf auf dem Land). Ich mag es hier (sehr). Die Luft ist (sehr sauber) und hier ist (viel) los. Ich habe auch (viele) Freunde hier. Es gibt (drei Geschäfte und ein Café). Leider gibt es (kein Kino).

MINI-TEST

Check that you can:
● talk about what you want to do in Austria
● talk about what people do in each season
● talk about where you live

4 Umwelt-Aktionen

Talking about what you should do to help the environment

1a Hör zu und wiederhole. Welches Bild ist das? (1–6)
Beispiel: 1 c

Was sollte man für die Umwelt tun?

a Man sollte Wasser sparen.

b Man sollte Energie sparen.

c Man sollte mit dem Rad fahren.

d Man sollte Müll trennen.

e Man sollte umweltfreundliche Produkte kaufen.

f Man sollte alles Mögliche kompostieren.

1b Gruppenarbeit. Wer kann den längsten Satz sagen?
Beispiel: ▲ Was sollte man für die Umwelt tun?
  ● Man sollte (Energie sparen). Was sollte man für die Umwelt tun?
  ■ Man sollte (Energie sparen) und man sollte (alles Mögliche kompostieren).

	Wasser/Energie	sparen.
	mit dem Rad	fahren.
Man sollte	Müll	trennen.
	umweltfreundliche Produkte	kaufen.
	alles Mögliche	kompostieren.

2 Was findest du am wichtigsten für die Umwelt? Ordne die Ideen von oben.
Beispiel: 1 Man sollte Energie sparen.
  2 Man sollte alles Mögliche kompostieren.

Grammatik
Talking about what you should do:
Man sollte + infinitive to the end

Man **sollte** Müll **trennen**.
Man **sollte** umweltfreundliche Produkte **kaufen**.

Lern weiter ▶ 3, Seite 63

LESEN

3a Lies den Artikel. Wer ist nicht sehr umweltfreundlich?

Was tust du für die Umwelt?

JANA:

Die Umwelt ist sehr wichtig, und ich mache alles Mögliche dafür.
- Ich kaufe umweltfreundliche Produkte, wie Schulhefte, Klopapier und Kleidung.
- Wir haben einen Komposthaufen im Garten und ich kompostiere alles Mögliche.
- Natürlich trenne ich auch Müll.

ANNABEL:

Die Umwelt finde ich ziemlich langweilig.
- Ich trenne Müll.
- Wasser spare ich nicht, aber ich fahre oft mit dem Rad.

RICO:

Ich bin sehr umweltfreundlich!
- Ich fahre immer mit dem Rad.
- Ich spare Wasser – ich dusche mich jeden Tag!
- Ich spare Energie zu Hause und in der Schule.
- Ich trenne Müll.
- Ich kaufe umweltfreundliche Produkte.

In Österreich und Deutschland trennt fast jeder seinen Müll. Es gibt viele Container für Papier, Kartons, Plastik, Kompost usw. Im Supermarkt muss man die Plastiktüten kaufen oder selber mitbringen.

LESEN

3b Ist das für Jana, Annabel oder Rico?

Beispiel: a Rico

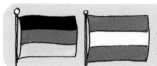

HÖREN

4 Hör zu. Was tun sie für die Umwelt? Wer ist die umweltfreundlichste Person? (1–6)

Beispiel: 1 d, b

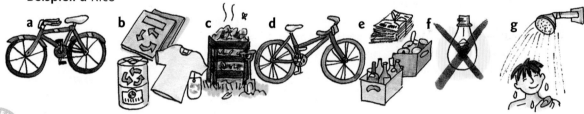

SCHREIBEN

5 Mach ein Umweltposter.

Beispiel:

1 Man sollte mit dem Bus fahren.

2 Man sollte Äpfel und Orangen kompostieren.

Man sollte . . .
mit dem Zug fahren.
Comics/Zeitungen/Dosen/Flaschen/ . . .
   zum Container bringen.
umweltfreundlich sein.

5 Sehr geehrte Damen und Herren

Writing a letter to a tourist office

LESEN 1a **Lies den Brief und wähl die richtigen Bilder aus.**

Beispiel: A b, . . .

A

a

b

c

B

a

b

c

C

a

```
AUGUST
    1  2  3  4  5  6  7  8  9
10 11 12 13 14 15 16 17 18 19 20
21 22 23 24 25 26 27 28 29 30 31
```

b

```
AUGUST
    1  2  3  4  5  6  7  8  9
10 11 12 13 14 15 16 17 18 19 20
21 22 23 24 25 26 27 28 29 30 31
```

c

```
AUGUST
 1  2  3  4  5  6  7  8  9
10 11 12 13 14 15 16 17 18 19 20
21 22 23 24 25 26 27 28 29 30 31
```

D

a
Teddington

b
Gmunden

c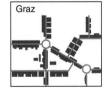
Graz

---

23 Rowan Avenue Teddington Middlesex TW11 7TR England

Verkehrsamt Gmunden
Am Graben 2
A–4810 Gmunden   ① Teddington, den 4. Februar

② **Sehr geehrte Damen und Herren,**

ich möchte meinen Urlaub gern in ③ Gmunden verbringen und suche für die Zeit vom ④ zwölften August bis ⑤ neunzehnten August ⑥ eine Ferienwohnung für ⑦ vier Personen. Schicken Sie mir bitte auch ⑧ einen Stadtplan von Gmunden.
⑨ **Vielen Dank im Voraus für Ihre Mühe.**

⑩ **Mit freundlichen Grüßen**
⑪ Thomas Oliver

LESEN 1b **Verbinde die Satzhälften.**

Beispiel: 1 f

1 Thomas Oliver wohnt in	a Gmunden.
2 Gmunden ist in	b August.
3 Thomas sucht eine	c Österreich.
4 Thomas braucht einen Stadtplan von	d Februar.
5 Thomas schreibt den Brief im	e Ferienwohnung.
6 Thomas macht Urlaub im	f England.

SCHREIBEN 1c **Such dir diese Sätze im Brief aus und kopiere sie.**

Beispiel: 1 Teddington, den 4. Februar

1 Teddington, 4th February
2 Dear Sir/Madam,

3 Many thanks in advance for your help.
4 With best wishes

Lern diese kurzen Sätze und benutze sie dann in anderen Briefen!

2 Hör zu. Schreib die Tabelle ab und füll sie aus. (1–4)

	Wo?	Wann?	Unterkunft?	Wie viele Personen?
1	Wien	2. Sep.–10. Sep.	Hotel	4
2	Graz	20.–30. _____	Ferienwohnung	__
3	Salzburg	13.–__. Feb.	_____	2
4	Linz	__.–__. Mai	_____	__

3a Ergänze den Brief für Ilse Bauer aus Berlin.
Der Brief auf Seite 54 hilft dir dabei.
Beispiel: 1 Berlin, den 7. November

Schreib den Brief am Computer. So kannst du ihn korrigieren und verbessern, so viel du willst!

Verkehrsamt Zell am See
Kirchenweg 2
A-5700 Zell am See

1 _____

Sehr **2** _____,

ich möchte meinen Urlaub gern in **3** _____
verbringen und suche für die Zeit vom
4 _____ bis **5** _____
6 _____ für **7** _____ Personen.
Schicken Sie mir bitte auch einen **8** _____ von
Zell am See.
Vielen **9** _____.

Mit freundlichen **10** _____
11 _____

vierundzwanzigsten Mai

Ilse Bauer   drei

geehrte Damen und Herren

Berlin, den 7. November

Grüßen   Zell am See

eine Ferienwohnung

zehnten Mai   Stadtplan

Dank im Voraus für Ihre Mühe

3b Schreib noch einen Brief für
Karl Roos aus Rostock.
Beispiel:

Rostock, den 12. Januar

Sehr geehrte Damen und Herren,
ich möchte meinen Urlaub gern in . . .

Datum: 12. Januar
Urlaubsziel: Linz
Urlaubstermin: 8. Apr.–16. Apr.
Unterkunft: Eine Ferienwohnung
Personen: 5

6 Salzburg

Talking about what you did in Salzburg

1a Hör zu und lies.

Annabel wohnt in Salzburg.
Letzte Woche hat sie viel gemacht . . .

Do.
Ich bin nach München gefahren.

Fr.
Ich bin einkaufen gegangen.

Mo.
Ich habe die Festung besichtigt.

Sa.
Ich bin ins Konzert gegangen.

Di.
Ich habe eine Stadtrundfahrt gemacht.

Mi.
Ich habe Tennis gespielt.

So.
Ich bin in die Berge gefahren.

1b Partnerarbeit.
Beispiel: ▲ Was hast du am (Dienstag) gemacht?
● Ich (habe eine Stadtrundfahrt gemacht).
▲ Was hast du am (Sonntag) gemacht?

Ich	habe	eine Stadtrundfahrt	gemacht.
		die Festung	besichtigt.
		Tennis	gespielt.
	bin	einkaufen / ins Konzert	gegangen.
		nach München / in die Berge	gefahren.

Grammatik

The perfect tense

Was **hast** du am Montag **gemacht**?   *What did you do on Monday?*
Ich **habe** die Festung **besichtigt**.   *I visited the fortress.*
Ich **bin** einkaufen **gegangen**.   *I went shopping.*

Lern weiter ▶ 4, Seite 63; Seite 135

2a Hör zu und beantworte die Fragen für Carola. (1–7)

Beispiel: 1 c

1 Was hast du am Montag gemacht?
2 Was hast du am Dienstag gemacht?
3 Was hast du am Mittwoch gemacht?
4 Was hast du am Donnerstag gemacht?
5 Was hast du am Freitag gemacht?
6 Was hast du am Samstag gemacht?
7 Was hast du am Sonntag gemacht?

a   b   c   d

e   f   g

2b Beschrifte die Bilder a–g oben für Carola.

Beispiel: a Ich bin ins Konzert gegangen.

3 Lies Janas Tagebuch. An welchem Tag war das?

Beispiel: a am Mittwoch

a  b

c   d

e   f

g

Mo. Ich bin mit dem Bus nach Graz gefahren. Peter war auch im Bus.

Di. Ich bin in die Berge gefahren. Peter hat eine sportliche Regenjacke getragen.

Mi. Ich bin einkaufen gegangen. Peter hat ein Souvenir für Andrea (seine Schwester?) gekauft.

Do. Ich habe eine Stadtrundfahrt gemacht. Peter war sehr lustig.

Fr. Ich habe eine Radtour gemacht. Das war sehr anstrengend.

Sa. Ich bin in die Disko gegangen. Ich habe mit Peter getanzt. Er ist super!

So. Ich bin mit dem Zug nach Hause gefahren. Andrea war am Hauptbahnhof. Leider ist sie nicht Peters Schwester. Sie ist seine Freundin!

4 Du bist Rico. Was hast du letzte Woche gemacht? Schreib Sätze. Schreib auch deine Meinung auf, wenn du willst!

Beispiel: Montag: Ich habe eine Radtour gemacht. (Das war super.)

Mo. eine Radtour machen
Di. Fußball spielen
Mi. ins Konzert gehen
Do. nach Salzburg fahren
Fr. die Festung besichtigen
Sa. einkaufen gehen
So. in die Berge fahren

7 http://austria-tourism.at

1a Lies den Text. Welches Bild passt zu welchem Absatz?
Beispiel: a 2

Willkommen in Österreich!

Ein Sommer – tausend Möglichkeiten
Alltag raus, Österreich rein.

 Austria

1 Familienparadies
Junge Leute fahren gern nach Österreich – hier ist immer viel los.
Im Winter fährt man Ski und im Sommer badet man im See.
Österreich ist ideal für die ganze Familie – hier ist es nie langweilig!

2 Natur
In Österreich geht man schön wandern. Die Landschaft ist
wunderbar und die Luft ist sehr sauber. Die Fauna und Flora
der Berge sind sehenswert.

3 Shopping und Kultur
Österreich ist ideal für einen schnellen Shopping- und Kultur-Trip.
Man sollte in Wien oder Salzburg einkaufen gehen. In Österreich
gibt es auch viele Museen, Galerien, Theater und Konzerte.

4 Sport-Land
In Österreich kann man aktiv sein. Man spielt Tennis oder
Golf. Man geht angeln und schwimmen. Man fährt auch Ski
und Wasserski. Oder man kann Inline-Skating oder
Mountainbiken machen. Wahnsinn!

5 Leckeres Essen
Die österreichische Küche ist wunderbar. Unsere
Spezialitäten wie Wiener Schnitzel, Knödel und
Apfelstrudel sind echt lecker!

die Landschaft	*landscape*	Wahnsinn!	*crazy!*
sehenswert	*worth viewing*	lecker	*tasty*

1b Such dir zu folgenden Themen drei Wörter aus dem Text aus.

Stadt	Sport	Natur	Essen
Kultur			

1c Welcher Absatz passt zu diesen Besuchern in Österreich?
Beispiel: 1 Absatz 4

1 Ich will Tennis spielen.
2 Ich will wandern gehen.
3 Ich will Apfelstrudel essen.
4 Ich will ins Konzert gehen.

5 Ich will im See baden.
6 Ich will einkaufen gehen.
7 Ich will Inline-Skating machen.
8 Ich will ins Museum gehen.

2 Hör zu. Warum wollen sie nach Österreich fahren? Welcher Absatz ist das? (1–6)
Beispiel: 1 Absatz 5

3 Welche Spezialität ist das? Such dir Informationen im Internet heraus.
Beispiel: a Apfelstrudel

Wiener Schnitzel	Salzburger Nockerln
Knödel	Apfelstrudel

a   b   c   d

4a Warum willst du nach Österreich fahren? Schreib zwei Gründe auf.
Beispiel: Ich will Wasserski fahren und ich will Mountainbiken machen.

Apfelstrudel essen   Ski/Wasserski fahren   Mountainbiken machen

wandern/angeln gehen   Golf/Tennis spielen

einkaufen / ins Konzert gehen   im See baden

4b Gruppenarbeit. Macht eine Umfrage in der Klasse.
Beispiel: ▲ Chris, warum willst du nach Österreich fahren?
            ● Ich will Wasserski fahren und ich will Mountainbiken machen.
              Warum willst du nach Österreich fahren?
            ▲ O, ich will Apfelstrudel essen und ich will Wasserski fahren.

Lernzieltest Check that you can:

1	● ask a friend why he/she wants to go to Austria	*Warum willst du nach Österreich fahren?*
	● say why you want to go to Austria	*Ich will Ski fahren. Ich will wandern gehen.*
2	● ask what somebody does in each season	*Was macht Jana im Sommer? Was macht Rico im Herbst?*
	● say what somebody does in each season	*Im Winter fährt er Ski. Im Frühling geht sie schwimmen.*
	● ask a friend what he/she does in each season	*Was machst du im Sommer?*
	● say what you do in each season	*Im Winter gehe ich ins Kino. Im Frühling spiele ich Tennis.*
3	● ask a friend where he/she lives	*Wo wohnst du?*
	● say where you live	*Ich wohne in einem Dorf auf dem Land. Ich wohne in Wien.*
	● ask a friend if he/she likes his/her home	*Wohnst du gern dort?*
	● give reasons for liking your home	*Ja, es ist viel los, die Luft ist sehr sauber und es gibt viele Cafés und Geschäfte.*
	● give reasons for disliking your home	*Nein, es ist nichts los und ich habe keine Freunde.*
4	● ask what people should do to help the environment	*Was sollte man für die Umwelt tun?*
	● say what people should do to help the environment	*Man sollte Wasser sparen und Müll trennen.*
5	● write a letter to a tourist office	*Sehr geehrte Damen und Herren, Vielen Dank im Voraus für Ihre Mühe. Mit freundlichen Grüßen*
6	● ask a friend what he/she did on a certain day	*Was hast du am Mittwoch gemacht?*
	● say what you did	*Ich habe die Festung besichtigt. Ich bin ins Konzert gegangen.*

Wiederholung

1 Hör zu. Was machen sie? (1–7)
Beispiel: 1 f

 a b c   d e f g

2 Hör zu. Schreib die Tabelle ab und füll sie aus. (1–4)

	Wo?	Wie?	Sonstiges?
1	in den Bergen		nichts los, keine Freunde

3 **Partnerarbeit.**

Beispiel: ▲ Was hast du am (Montag) gemacht?
  ● Ich (bin in die Berge gefahren).
  ▲ Was hast du am (Samstag) gemacht?

Mo.	Di.	Mi.	Do.	Fr.	Sa.	So.

Ich	habe	eine Stadtrundfahrt	gemacht.
		die Festung	besichtigt.
		Tennis	gespielt.
	bin	einkaufen / ins Konzert	gegangen.
		nach Salzburg / in die Berge	gefahren.

4 **Lies den Brief. Richtig oder falsch?**

Beispiel: 1 F (falsch)

1 Jack Mann wohnt in Kirchdorf.
2 Jack Mann schreibt den Brief am elften März.
3 Jack will nach Kirchdorf fahren.
4 Er sucht ein Hotel.
5 Es gibt vier Personen in der Gruppe.
6 Der erste Urlaubstag ist der zehnte Juni.
7 Der letzte Urlaubstag ist der zwanzigste Juni.
8 Jack will einen Stadtplan haben.

> Bradford, den 11. März
>
> Sehr geehrte Damen und Herren,
>
> ich möchte meinen Urlaub gern in Kirchdorf verbringen und suche für die Zeit vom 10. Juni bis 17. Juni eine Ferienwohnung für fünf Personen.
> Schicken Sie mir bitte auch einen Stadtplan von Kirchdorf.
> Vielen Dank im Voraus für Ihre Mühe.
>
> Mit freundlichen Grüßen
> Jack Mann

5 **Warum wollen sie nach Österreich fahren? Was sagen sie? Bilde sechs Sätze.**

Beispiel: 1 Ich will Ski fahren.
  2 Ich will . . .

> Ski
> Wassersport
> wandern Wien
> Deutsch
> im See

> treiben gehen
> besichtigen
> baden lernen
> fahren

6 **Schreib einen Brief ans Wiener Verkehrsamt.**

Du suchst • für die Woche vom 17. Juni bis 24. Juni
  • ein Hotel für drei Personen.

Grammatik

1 Talking about what people want to do (*ich will, du willst, er will . . .*)

ich	Ich **will** Deutsch lernen.	*I want to learn German.*
du	Du **willst** ins Kino gehen.	*You want to go to the cinema.*
er/sie	Er/Sie **will** Ski fahren.	*He/She wants to go skiing.*

Look at the order of the sentences: **will** or **willst** *(want)* always comes second, and the second verb (e.g. **lernen**) comes at the end.

1	2	3	End
Ich	**will**	**Deutsch**	**lernen.**

Complete these sentences, putting *will/willst* in the right place and using one of the verbs in the box.

Beispiel: Ich will im See baden.

1 Ich . . . im See . . .
2 Sabine . . . Wassersport . . .
3 Ich . . . Ski . . .
4 Du . . . Salzburg . . .
5 Ich . . . Deutsch . . .
6 Er . . . wandern . . .

> gehen   treiben   besichtigen
> baden   lernen   fahren

2 Talking about things you often do (the present tense)

Verbs with **ich** *(I)* usually end in **-e**. Verbs with **er/sie** *(he/she)* usually end in **-t**.
Verbs with **du** *(you)* usually end in **-st**.

	ich *(I)*	du *(you)*	er *(he)*/sie *(she)*
gehen *(to go)*	geh**e**	geh**st**	geh**t**
spielen *(to play)*	spiel**e**	spiel**st**	spiel**t**
machen *(to do)*	mach**e**	mach**st**	mach**t**
fahren *(to drive/go)*	fahr**e**	f**ä**hr**st**	f**ä**hr**t**

Check the pronoun *(ich, du, er/sie)* and fill in the gap with the correct form of the verb. Then match each sentence with one of the pictures below.

Beispiel: **1** Ich gehe wandern. **d**

1 Ich . . . wandern. (gehen)
2 Ich . . . Radtouren. (machen)
3 Du . . . schwimmen. (gehen)
4 Du . . . ins Kino. (gehen)
5 Er . . . Ski. (fahren)
6 Sie . . . Fußball. (spielen)

a   b   c   d   e   f

Choose the correct part of the verb each time. Check the pronoun *(ich, du, er/sie)* **before you choose.**

Beispiel: **1** Im Sommer gehe ich wandern.

1 Im Sommer gehe/gehst/geht ich wandern.
2 Im Winter fahren/fährt/fahre er Ski.
3 Im Herbst geht/gehe/gehst sie schwimmen.
4 Machst/Machen/Macht du oft Radtouren?
5 Im Frühling spielen/spiele/spielst ich viel Fußball.
6 Gehe/Gehst/Geht du oft einkaufen?
7 Im Herbst mache/macht/machst er Radtouren.

3 Talking about what you/people should do *(man sollte)*

Man <u>sollte</u> Müll trennen.　　　*You should separate rubbish.*
Man <u>sollte</u> Wasser sparen.　　*You should save water.*

Label the pictures.

Beispiel: **a** Man sollte Wasser sparen.

a　　　　　b　　　　　c　　　　　d　　　　e　　　　f

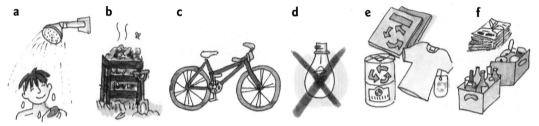

Man sollte . . .
Wasser sparen　　　　　　　　　umweltfreundliche Produkte kaufen　　　　　　Müll trennen
mit dem Rad fahren　　　　　　　　　　Energie sparen　　　　alles Mögliche kompostieren

4 More about the past (the perfect tense)

You saw the perfect tense in Chapter 1. Do you remember how it works? It has two parts:

1 **Ich habe** or **Ich bin**	**+**	**2** past participle (e.g. **gemacht, gesehen**)

Ich <u>habe</u> Tennis <u>gespielt</u>.　　　*I played tennis.*
Ich <u>bin</u> ins Kino <u>gegangen</u>.　　*I went to the cinema.*

Complete these sentences in the perfect tense and then translate them into English.

Beispiel: **1** Ich habe Fußball gespielt. I played football.

1 Ich . . . Fußball . . . (habe gespielt)
2 Ich . . . eine Radtour . . . (gemacht habe)
3 Ich . . . einkaufen . . . (bin gegangen)
4 Ich . . . die Festung . . . (besichtigt habe)
5 Ich . . . ins Kino . . . (gegangen bin)
6 Ich . . . nach München . . . (gefahren bin)
7 Ich . . . in die Berge . . . (bin gefahren)
8 Ich . . . das Museum . . . (besichtigt habe)

Wörter

Österreich / *Austria*

Was willst du in Österreich machen?	*What do you want to do in Austria?*
Ich will Deutsch lernen.	*I want to learn German.*
Ich will im See baden.	*I want to bathe in the lake.*
Ich will Salzburg besichtigen.	*I want to visit Salzburg.*
Ich will Ski fahren.	*I want to go skiing.*
Ich will wandern gehen.	*I want to go hiking.*
Ich will Wassersport treiben.	*I want to do water sports.*

Wann? / *When?*

Was macht (Kai) . . .	*What does (Kai) do . . .*
im Frühling?	*in the spring?*
im Sommer?	*in the summer?*
im Herbst?	*in the autumn?*
im Winter?	*in the winter?*
Im Frühling geht er einkaufen.	*In the spring he goes shopping.*
Im Sommer geht er schwimmen.	*In the summer he goes swimming.*
Im Herbst geht er ins Kino.	*In the autumn he goes to the cinema.*
Im Winter fährt er Ski.	*In the winter he goes skiing.*
Was macht (Susie)?	*What does (Susie) do?*
Im Frühling geht sie wandern.	*In the spring she goes hiking.*
Im Sommer spielt sie Tennis.	*In the summer she plays tennis.*
Im Herbst macht sie Radtouren.	*In the autumn she goes on bike rides.*
Im Winter spielt sie Fußball.	*In the winter she plays football.*
Was machst du . . .	*What do you do . . .*
im Frühling?	*in the spring?*
im Sommer?	*in the summer?*
im Herbst?	*in the autumn?*
im Winter?	*in the winter?*

Im Frühling gehe ich schwimmen.	*In the spring I go swimming.*
Im Frühling gehe ich wandern.	*In the spring I go hiking.*
Im Sommer mache ich Radtouren.	*In the summer I go on bike rides.*
Im Sommer spiele ich Tennis.	*In the summer I play tennis.*
Im Herbst spiele ich Fußball.	*In the autumn I play football.*
Im Winter fahre ich Ski.	*In the winter I go skiing.*

Mein Wohnort / *Where I live*

Wo wohnst du?	*Where do you live?*
Ich wohne auf dem Land.	*I live in the country.*
Ich wohne in einem Dorf.	*I live in a village.*
Ich wohne in (Wien).	*I live in (Vienna).*
Wohnst du gern dort?	*Do you like living there?*
Ja, . . .	*Yes, . . .*
die Luft ist sehr sauber.	*the air is very clean.*
es gibt viele Cafés.	*there are lots of cafés.*
es gibt viele Geschäfte.	*there are lots of shops.*
es gibt viele Kinos.	*there are lots of cinemas.*
hier ist viel los.	*there's lots going on here.*
ich habe viele Freunde hier.	*I've got a lot of friends here.*
Nein, . . .	*No, . . .*
die Luft ist nicht sehr sauber.	*the air isn't very clean.*
es gibt keine Cafés.	*there aren't any cafés.*
es gibt keine Geschäfte.	*there aren't any shops.*
es gibt keine Kinos.	*there aren't any cinemas.*
hier ist nichts los.	*there's nothing going on here.*
ich habe keine Freunde hier.	*I haven't got any friends here.*

Die Umwelt

Was sollte man für die Umwelt tun?

Man sollte alles Mögliche kompostieren.

Man sollte Müll trennen.

Man sollte Energie sparen.

Man sollte mit dem Rad fahren.

Man sollte umweltfreundliche Produkte kaufen.

Man sollte Wasser sparen.

Ein Brief

den 4. Februar

Sehr geehrte Damen und Herren,

ich möchte meinen Urlaub gern in (Wien) verbringen.

Ich suche eine Ferienwohnung.

Ich suche ein Hotel.

für die Zeit vom (ersten Mai) bis (elften Mai)

für drei Personen

für vier Personen

Schicken Sie mir bitte auch einen Stadtplan von (Graz).

Vielen Dank im Voraus für Ihre Mühe.

Mit freundlichen Grüßen

The environment

What should you do for the environment?

You should compost as much as possible.

You should separate your rubbish.

You should save energy.

You should go by bike.

You should buy environmentally-friendly products.

You should save water.

A letter

4th February

Dear Sir/Madam,

I'd like to spend my holiday in (Vienna).

I'm looking for a holiday flat.

I'm looking for a hotel.

for the period (1st May) to (11th May)

for three people

for four people

Please also send me a town plan of (Graz).

Many thanks in advance for your help.

Regards

Am Montag

Was hast du am (Montag) gemacht?

Montag

Dienstag

Mittwoch

Donnerstag

Freitag

Samstag

Sonntag

Ich habe die Festung besichtigt.

Ich habe eine Stadtrundfahrt gemacht.

Ich habe Tennis gespielt.

Ich bin einkaufen gegangen.

Ich bin ins Konzert gegangen.

Ich bin in die Berge gefahren.

Ich bin nach München gefahren.

On Monday

What did you do on (Monday)?

Monday

Tuesday

Wednesday

Thursday

Friday

Saturday

Sunday

I visited the fortress.

I went on a city tour.

I played tennis.

I went shopping.

I went to a concert.

I went into the mountains.

I went to Munich.

4 Medien

1 Magst du Horrorfilme?

Talking about films

1a Hör zu. Was passt zusammen? (1–6)
Beispiel: 1 f

a Liebesfilme

b Science-Fiction-Filme

c Actionfilme

d Horrorfilme

e Zeichentrickfilme

f Komödien

1b Hör noch mal zu. Mögen sie die Filme oder nicht? (1–6)
Beispiel: 1 ✗

2a Mag dein Partner / deine Partnerin die Filme oben?
Rate mal und mach eine Liste für ihn/sie.
Beispiel: Alice: Liebesfilme ✓, Science-Fiction-Filme ✗, Actionfilme ✓, . . .

2b Partnerarbeit. Hast du richtig geraten?
Beispiel: ▲ Alice, magst du (Liebesfilme)?
  ● (Nein.) Magst du (Liebesfilme)?

Magst du	Liebesfilme/Science-Fiction-Filme/Actionfilme/ Horrorfilme/Zeichentrickfilme/Komödien?
Ja./Nein.	

3a Lies die Auszüge und kopiere die unterstrichenen Adjektive.
Wie heißen sie auf Englisch? Benutze wenn nötig ein Wörterbuch.

Beispiel: spannend – exciting

★★★★ „*Aktion im Zug*", der neue Actionfilm von Werner Bosch, ist echt <u>spannend</u>.

★☆☆☆ „*Das Horrorhaus*", der neue Film vom Horrorstudio, ist total <u>gruselig</u> und <u>schrecklich</u>.

★☆☆☆ „*Ich liebe dich*", der neue Film mit Tina Dietmann und Lars Lomas, ist <u>romantisch</u>, aber leider total <u>langweilig</u> und <u>blöd</u>.

★★★★ „*Hilfe! Mutter in der Wohnung!*", der neue Zeichentrickfilm für Kinder, ist für alle sehr <u>lustig</u>. Geh mal hin!

 3b Was für Filme sind das oben?

Beispiel: „Aktion im Zug" ist ein Actionfilm.

4 Hör zu. Wie finden Mesut, Katja und Ronny folgende Filme? (1–4)

Beispiel:

spannend

langweilig

		Mesut	Katja	Ronny
1	Liebesfilme	–	romantisch	
2	Actionfilme			
3	Zeichentrickfilme			
4	Horrorfilme	–	–	

gruselig   romantisch   schrecklich   blöd   lustig

 5a Gruppenarbeit. Frag zwei Personen in der Klasse.

Beispiel: ▲ Wie findest du (Komödien), Luke?
● Ich finde sie (sehr lustig).
▲ Und wie findest du (Horrorfilme)?

Wie findest du	Liebesfilme/Science-Fiction-Filme/Actionfilme/ Horrorfilme/Zeichentrickfilme/Komödien?	
Ich finde sie	ziemlich/so/ total/sehr/zu	lustig/spannend/romantisch/ schrecklich/gruselig/langweilig/blöd.

Benutze Wörter wie „sehr", „ziemlich" und „so" – so wird dein Deutsch interessanter!

 5b Schreib die Resultate auf.

Beispiel: Ich finde Komödien sehr blöd. Louise findet sie ziemlich lustig und Paul findet sie langweilig. Louise, Paul und ich finden Horrorfilme gruselig.

 Grammatik

finden (to find)

ich find**e**	I find
du find**est**	you find
er/sie find**et**	he/she finds
wir/sie find**en**	we/they find

Lern weiter ▶ 1, Seite 82

2 Gehen wir ins Kino?

Phoning a friend to invite him/her to the cinema

1a Hör zu und lies.

Katja:	Hallo.
Ronny:	Hallo, Katja. Hier spricht Ronny.
Katja:	Grüß dich, Ronny. Wie geht's?
Ronny:	Gut, danke. Sag mal, Katja. Hast du am Samstag frei?
Katja:	Äh . . . Samstag . . . Samstag . . . Moment mal . . . Warum?
Ronny:	Ja . . . gehen wir ins Kino?
Katja:	Tja . . . was gibt's?
Ronny:	„Tankmann".
Katja:	Wie bitte?
Ronny:	„Tankmann". Das ist ein Actionfilm.
Katja:	Ach ja? Ein Actionfilm? Na, so was. Actionfilme finde ich super.
Ronny:	Na, prima! Also, bis Samstag!
Katja:	Ja, bis Samstag, Ronny.

1b Wähl das richtige Wort aus.

Beispiel: 1 Katja

1 Ronny ruft Katja/Ronny/Mesut an.
2 Ronny will am Freitag/Samstag/Sonntag ins Kino gehen.
3 Der Film heißt „Tankmann"/„Samstag"/„Kino".
4 Das ist ein Horrorfilm / eine Komödie / ein Actionfilm.
5 Katja findet Actionfilme super/spannend/schrecklich.
6 Katja will ins Kino/Café/Schwimmbad gehen.

2 Hör zu. Was sagen sie? Wähl das richtige Wort aus. (1–2)

Beispiel: 1a Mittwoch

1a Mittwoch/Donnerstag/Sonntag
1b „Das Auto" / „Der Zug" / „Das Fahrrad"
1c Actionfilm/Horrorfilm/Liebesfilm
1d lustig/gruselig/schrecklich

2a Sonntag/Montag/Dienstag
2b „Skifahren"/„Radfahren"/„Rennen"
2c Komödie/Horrorfilm/Science-Fiction-Film
2d schrecklich/gut/lustig

3 **Hör zu und wiederhole. Wie gewinnt Katja Zeit? (1–6)**
Beispiel: **1** c

a (Ach ja?)   **b** (Tja.)

c (Wie bitte?)   **d** (Äh . . .)

e (Moment mal.)   **f** (Na, so was.)

> Im Dialog auf Seite 68 gewinnt Katja Zeit.
> Sie sagt „tja", „ach ja" und „wie bitte?"
> Mach das, wenn du Zeit brauchst!

4a **Partnerarbeit. Übt Dialoge.**

▲ Hallo.

● Hallo, (Sandra). Hier spricht (David).

▲ Grüß dich, (David). Wie geht's?

● Gut danke. Sag mal, (Sandra). Hast du am (Samstag) frei?

▲ Äh . . . (Samstag) . . . (Samstag) . . . Moment mal . . . Warum?

● Ja . . . gehen wir ins Kino?

▲ Tja . . . was gibt's?

„Skiunfall"   „Der große Hund"   „Die Nacht"   „Tim und Rita"

● („Skiunfall".) ⟶ ▲ Wie bitte?

● („Skiunfall".) Das ist ein (Actionfilm).

> ein Actionfilm
> ein Liebesfilm
> ein Zeichentrickfilm
> ein Horrorfilm

▲ Ach ja? (Ein Actionfilm?) Na, so was. (Actionfilme) finde ich sehr/ziemlich/so/zu/total
spannend/lustig/romantisch/langweilig/schrecklich/gruselig/blöd.

● Na, prima! Also, bis (Samstag)!   ● Ach, schade.

▲ Ja, bis (Samstag)!   ▲ Ja, schade. Tschüs.

4b **Schreib einen Dialog aus Übung 4a auf. Nimm ihn auf Kassette auf.**
Beispiel: – Hallo.
      – Hallo, Harry. Hier spricht Anna.

3 Hörst du gern Popmusik?

Talking about music

1a Hör zu und notiere Katjas Antworten zum Musikquiz.
Beispiel: 1 c

Großes Musikquiz

3 Wie viele Musiksendungen siehst du in der Woche?
A Ich sehe keine Musiksendungen.
B Ich sehe eine Musiksendung.
C Ich sehe etwa zwei/drei/
... Musiksendungen.

4 Wie oft gehst du ins Konzert.
A Ich gehe nie ins Konzert.
B Ich gehe einmal im Jahr ins Konzert.
C Ich gehe etwa zweimal/dreimal/
viermal/ ... im Jahr ins Konzert.

1 Wie viele CDs kaufst du im Monat?
A Ich kaufe keine CDs.
B Ich kaufe eine CD.
C Ich kaufe etwa zwei/drei/ ... CDs.

2 Wie viele Musikvideos kaufst
du im Monat?
A Ich kaufe keine Musikvideos.
B Ich kaufe ein Musikvideo.
C Ich kaufe etwa zwei/drei/ ... Musikvideos.

5 Wer ist dein Lieblingssänger?
Mein Lieblingssänger ist ...

6 Wer ist deine Lieblingssängerin?
Meine Lieblingssängerin ist ...

Craig David

7 Was ist deine Lieblingsgruppe?
Meine Lieblingsgruppe ist/sind ...

Britney Spears · Backstreet Boys

Vergiss die Fragen nicht:
„Wie oft?" (How often?),
„Wie viele?" (How many?),
„Wer?" (Who?),
„Was?" (What?).

1b Partnerarbeit. Macht das Musikquiz.

Beispiel: ▲ Wie viele CDs kaufst du im Monat?

● Ich kaufe (etwa zwei CDs). Wie viele CDs kaufst du im Monat?

 1c Schreib deine Antworten zum Musikquiz auf.

Beispiel: **1** c Ich kaufe etwa zwei CDs im Monat.

> ## Grammatik
>
> **'My' and 'your'**
>
> m   mein   dein
> f   meine   deine
>
> **Mein** Lieblingssänger ist Robbie Williams.   *My favourite (male) singer is Robbie Williams.*
> Wer ist **deine** Lieblingssängerin?   *Who is your favourite (female) singer?*
>
> Lern weiter ▷ 2, Seite 82; Seite 134

 2a Hast du meistens *a*, *b* oder *c*? Lies die Antwort unten.

Du hast meistens c:
Du bist großer Musikfan. Du hörst Musik im Bus und im Bad! Du solltest vielleicht auch mal Fußball oder Tennis spielen – aber nimm kein Radio mit!

Du hast meistens b:
Du magst Musik, aber du hast auch andere Hobbys. Das ist super!

Du hast meistens a:
Du findest Musik sehr langweilig und blöd. Hör mal ein bisschen Popmusik im Radio. Vielleicht magst du die!

 2b Ist das für den Text *a*, *b* oder *c*?
Beispiel: 1 a, c

1   2   3   4

 3 Wie spricht man das aus? Lies die Sätze. Dann hör zu und überprüfe es.

1 **Musik** – Ich höre gern Musik.
2 **Musikvideo** – Ich kaufe keine Musikvideos.
3 **CD** – Ich kaufe eine CD.
4 **Kassette** – Ich kaufe eine Kassette.
5 **Konzert** – Ich gehe gern ins Konzert.
6 **Popmusik** – Ich liebe Popmusik.

> Keine englische Aussprache! Wie kannst du dir die deutsche Aussprache merken? Nur üben, üben und noch mal üben!

MINI-TEST

Check that you can:
● talk about films
● phone a friend to invite him/her to the cinema
● talk about music

4 Leseratten

Talking about your reading habits

1a **Hör zu. Was für Bücher lesen sie gern? (1–6)**
Beispiel: 1 c

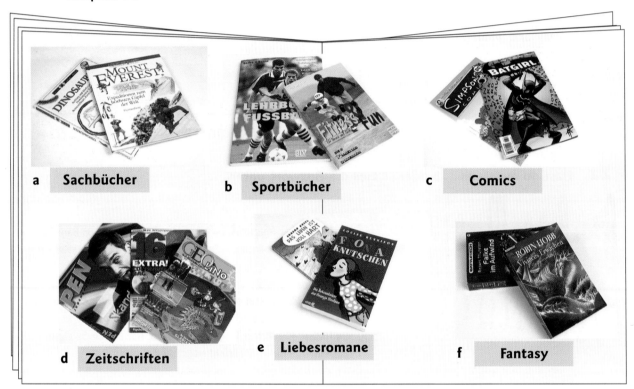

a **Sachbücher**

b **Sportbücher**

c **Comics**

d **Zeitschriften**

e **Liebesromane**

f **Fantasy**

1b **Mach eine deutsch-englische Liste von Büchern.**
Beispiel: a Sachbücher – non-fiction

non-fiction

magazines

comics   fantasy books   sports books   love stories

1c **Partnerarbeit.**

Beispiel: ▲ Wie findest du (Sachbücher)?
● Tja, (Sachbücher) finde ich (langweilig).
▲ Wie findest du (Sportbücher)?
● (Sportbücher) finde ich (interessant).

> Sport ist „sport",
> Bücher ist „books",
> also Sportbücher
> heißt „sports books"!

Wie findest du	Sachbücher/Sportbücher/Comics/ Liebesromane/Zeitschriften/Fantasy?	
Sachbücher/Sportbücher/ . . .	finde ich	interessant/lustig/spannend/gut.
		langweilig/blöd/schrecklich.

2a Lies die Texte. Wer ist das: Katja, Mesut oder Ronny?

Beispiel: 1 Mesut

1 Wer liest gern Sportbücher?	4 Wer spielt gern Fußball?
2 Wer liest gern Pferdebücher?	5 Wer liest gern Sachbücher?
3 Wer liest gern Comics?	6 Wer ist eine Leseratte?

Hallo, ich heiße Katja und ich bin fünfzehn Jahre alt. Meine Hobbys sind Lesen, Schwimmen und Musik hören. Ich kaufe etwa zwölf Bücher im Jahr und meine Lieblingsbücher sind Pferdebücher und Liebesromane. *Der Pferdeflüsterer* ist mein Lieblingsbuch. Es ist sehr gut und spannend.

Hallo, ich bin Mesut und ich bin sechzehn Jahre alt. Ich spiele gern Fußball, ich sehe gern fern und ich lese gern. Meine Lieblingsbücher sind Fantasy und Sportbücher. Ich lese nicht gern Sachbücher. Mein Lieblingsbuch heißt *Das Haus der Treppen*. Es ist total spannend. Ich kaufe etwa zwanzig Bücher im Jahr. Ich bin eine richtige Leseratte!

Hallo, ich bin Ronny und ich bin fünfzehn Jahre alt. Ich spiele gern Computerspiele und ich fahre gern Ski. Ich lese auch gern und am liebsten lese ich Comics, Zeitschriften und Sachbücher. Mein Lieblingscomic heißt *Captain America*. Es ist sehr gut. Ich kaufe etwa drei Bücher im Jahr.

2b Was passt zusammen?

Beispiel: 1 g

1 Wie heißt du?	a Ich kaufe etwa zwölf Bücher im Jahr.
2 Wie alt bist du?	b Ich lese gern Liebesromane und Pferdebücher.
3 Was sind deine Hobbys?	c Ich bin fünfzehn Jahre alt.
4 Was für Bücher liest du gern?	d Es ist sehr gut und spannend.
5 Was ist dein Lieblingsbuch?	e Ich lese gern, ich gehe gern schwimmen und ich höre gern Musik.
6 Warum?	f Mein Lieblingsbuch ist *Der Pferdeflüsterer*.
7 Wie viele Bücher kaufst du im Jahr?	g Ich heiße Katja.

2c Beantworte die Fragen 1–7 oben für Mesut oder Ronny.

Beispiel: 1 Ich heiße Mesut.

2d Partnerarbeit. Übt Interviews mit Katja, Mesut oder Ronny.

Beispiel:

▲ Wie heißt du?
● Ich heiße (Katja).
▲ Wie alt bist du?
● Ich bin (fünfzehn) Jahre alt.
▲ Was sind deine Hobbys?
● Ich (lese) gern, ich (gehe) gern (schwimmen) und ich (höre) gern (Musik).
▲ Was für Bücher liest du gern?
● Ich lese gern (Liebesromane) und (Pferdebücher).

▲ Was ist dein Lieblingsbuch?
● Mein Lieblingsbuch ist (*Der Pferdeflüsterer*).
▲ Warum?
● Es ist (sehr gut und spannend).
▲ Wie viele Bücher kaufst du im Jahr?
● Ich kaufe etwa (zwölf) Bücher im Jahr.

5 Surfen

Talking about what people can do on a computer

1a **Hör zu und wiederhole. Welches Bild ist das? (1–6)**
Beispiel: **1** d

Was kann man am Computer machen?

a Man kann im
Internet surfen.

'Hallo …'

b Man kann E-Mails
schreiben und lesen.

'Übung I …'

c Man kann
Hausaufgaben machen.

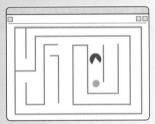

d Man kann
Computerspiele spielen.

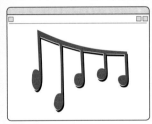

e Man kann
Musik hören.

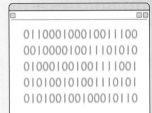

f Man kann
Programme schreiben.

1b **Partnerarbeit. Ergänze die Sätze.**
Beispiel: ▲ Was kann man am Computer machen?
● Man kann (Hausaufgaben) . . .
▲ (machen).
● Richtig! Was kann man am Computer machen?

Was kann man am Computer machen?		
	Computerspiele	spielen.
	Musik	hören.
	E-Mails	schreiben/lesen.
Man kann	Programme	schreiben.
	Hausaufgaben	machen.
	im Internet	surfen.

Grammatik

Talking about what people can do:
können + infinitive at the end

Was **kann** man am Computer **machen**?
Man **kann** im Internet **surfen**.

Lern weiter ▶ 4, Seite 83

2a **Lies den Text. Ist das für Mesut oder Katja?**

Beispiel: a Katja

a b  c  d e

BIST DU SURF-FAN?

Mesut

Wir haben einen Computer zu Hause und ich spiele oft Computerspiele darauf. Ich surfe auch sehr gern im Internet. Ich lese besonders gern über die Bundesliga. Meine Lieblingsmannschaft ist Bayern München und jeden Tag lese ich ihre Website. Manchmal hilft mir das Internet auch beim Hausaufgaben machen.

Katja

Ich finde das Internet super, aber ich darf jetzt nur am Wochenende surfen, weil das ziemlich teuer ist. Ich darf aber immer E-Mails schicken, also schreibe ich fast jeden Tag mindestens vier E-Mails. Das finde ich sehr lustig und ich habe jetzt Freunde in Australien, Schottland und Frankreich.

2b **Richtig oder falsch?**

Beispiel: 1 F (falsch)

1 Mesut hat keinen Computer zu Hause.
2 Mesut surft gern im Internet.
3 Mesut mag Fußball nicht.
4 Das Internet hilft Mesut beim Hausaufgaben machen.

5 Katja findet das Internet langweilig.
6 Katja darf am Mittwoch im Internet surfen.
7 Katja schreibt gern E-Mails.
8 Katja wohnt in Schottland.

3 **Hör zu. Was machen sie am Computer? Mach Notizen. (1–5)**

Beispiel: 1 E-Mails, Hausaufgaben, Musik

Computertexte sehen gut aus. Man kann einen Computertext verbessern und korrigieren! Vergiss auch nicht, deutsche Websites zu lesen.

4 **Beantworte die Fragen.**

Beispiel: 1 Ich surfe sechsmal pro Woche im Internet.

1 Wie oft surfst du pro Woche im Internet?
Ich surfe nie/einmal/zweimal/ . . . pro Woche im Internet.
2 Wie viele E-Mails schreibst du pro Woche?
Ich schreibe eine E-Mail / keine E-Mails / etwa zwei E-Mails pro Woche.
3 Wie viele E-Mails bekommst du pro Woche?
Ich bekomme eine E-Mail / keine E-Mails / etwa zwei E-Mails pro Woche.
4 Wie oft machst du pro Woche am Computer Hausaufgaben?
Ich mache nie/einmal/zweimal/ . . . pro Woche am Computer Hausaufgaben.
5 Wie oft spielst du pro Woche Computerspiele?
Ich spiele nie/einmal/ . . . pro Woche Computerspiele.
6 Wie oft hörst du pro Woche am Computer Musik?
Ich höre nie/einmal/ . . . pro Woche am Computer Musik.

Ich schreibe Texte am Computer. So schreibt man besser!

6 Medien-Projekt-Woche

Talking about what you did last week

HÖREN
1a **Hör zu und wiederhole. Wer spricht? (1–6)**
Beispiel: 1 Bild 5

··········· **Was hast du letzte Woche gemacht?** ···········

I ⚀ Am Montag habe ich ferngesehen.

2 ⚁ Am Dienstag habe ich Musik gehört.

3 ⚂ Am Mittwoch habe ich Computerspiele gespielt.

4 ⚃ Am Donnerstag habe ich Hausaufgaben gemacht.

5 ⚄ Am Freitag bin ich ins Kino gegangen.

6 ⚅ Am Samstag bin ich in die Stadt gefahren.

SPRECHEN
1b **Partnerarbeit. Würfelspiel.**
Beispiel: ▲ ⚀ Was hast du am (Dienstag) gemacht?
● Am (Dienstag) (habe) ich (Musik gehört). ⚅ Was hast du am (Samstag) gemacht?
▲ Am (Samstag) (bin) ich (in die Stadt gefahren).

| Am | Montag
Dienstag
Mittwoch
Donnerstag | habe | ich | ferngesehen.
Musik gehört.
Computerspiele gespielt.
Hausaufgaben gemacht. |
| | Freitag
Samstag | bin | | ins Kino gegangen.
in die Stadt gefahren. |

SCHREIBEN
1c **Was hast du letzte Woche gemacht?**
Würfle und schreib die Woche auf.
Beispiel: ⚄ Am (Montag) (habe) ich (Hausaufgaben gemacht).
⚅ Am (Dienstag) (bin) ich (in die Stadt gefahren).

Grammatik

Word order: verb = number 2

1	2		
Ich	**habe**		ferngesehen.
Am Samstag	**habe**	ich	ferngesehen.
Ich	**bin**		in die Stadt gefahren.
Am Dienstag	**bin**	ich	in die Stadt gefahren.

Lern weiter ▶ 5, Seite 83

2a Lies Ronnys Tagebuch für die Medien-Projekt-Woche. An welchem Tag war das?

Beispiel: a am Donnerstag

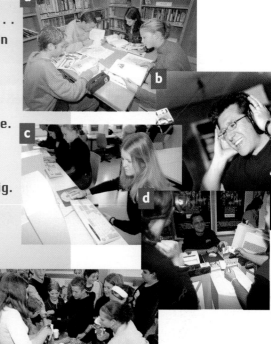

Letzte Woche hatten wir eine Medien-Projekt-Woche . . .

Am MONTAG sind wir ins Kino gegangen! Wir haben einen spannenden Actionfilm gesehen und dann haben wir einen blöden Horrorfilm gesehen.

Am DIENSTAG waren wir im Studio vom Radio Pop. Das war sehr interessant und wir haben viel Musik gehört.

Am MITTWOCH waren wir im Computerraum in der Schule. Wir sind im Internet gesurft. Ich habe viele tolle Websites gefunden - das Internet finde ich total super.

Am DONNERSTAG sind wir zur Stadtbibliothek gegangen. Wir haben ein Buchquiz gemacht und das war sehr lustig. Normalerweise ist es sehr ruhig in der Bibliothek, aber am Donnerstag war es gar nicht ruhig!

Am FREITAG waren wir im Klassenzimmer. Wir hatten eine Party. Wir haben alle CDs mitgebracht, aber das war total blöd - wir hatten keine Stereoanlage im Klassenzimmer!

2b Was passt zusammen?

Beispiel: 1 d

1 Am Montag	**a** hat Ronny Musik gehört.
2 Am Dienstag	**b** hatte Ronny eine Party.
3 Am Mittwoch	**c** ist Ronny im Internet gesurft.
4 Am Donnerstag	**d** hat Ronny zwei Filme gesehen.
5 Am Freitag	**e** hat Ronny viel gelesen.

3 Hör zu. Was haben sie bei der Medien-Projekt-Woche gemacht? (1–6)

Beispiel: 1 Computerspiele

4a Was hast du letzte Woche gemacht? Schreib Sätze für vier Tage auf.

Beispiel: Am Montag habe ich Fußball gespielt.

Mo. Fußball spielen
Di. ins Kino gehen
Mi. fernsehen
Do. Musik hören
Fr. ein Buch lesen
Sa. Computerspiele spielen
So. Hausaufgaben machen

4b Füg weitere Details hinzu.

Beispiel: Am Montag habe ich Fußball gespielt.
Das war sehr langweilig und anstrengend.

7 Online-Soaps

 LESEN

1a Lies den Artikel.

Online-Soaps sind besser als Fernsehsoaps

Ich sehe nicht gern fern. Ich finde Sendungen wie „Neighbours",
„Brookside" und „Beverly Hills 90210" blöd und langweilig. Die
Soaps im Fernsehen mag ich nicht. Aber die Soaps im Netz finde
ich echt klasse.

Clique ist eine Soap im Netz. Eine neue Folge kommt zweimal im
Monat. Die Geschichte ist sehr lustig. Die Webseiten haben ein
perfektes Layout mit tollen Fotos und guten Dialogen.

www.diary.de ist eine Reality-Soap. Elf Leute (19–30 Jahre alt)
schreiben online in das Tagebuch. Es gibt auch Fotos dazu. Man
kann im Forum über die Reality-Soap kommentieren.

Im World Wide Web gibt es auch interaktive Soaps. Hier hat man die
Kontrolle. Heldenfußallee ist eine interaktive Seifenoper. Hier gibt es
eine Wahl.

Man kann eine Soap selber schreiben. Das macht man bei
doyoursoap. Hier gibt es Charaktere, aber dann schreibt man selber
die Geschichte.

▶ Clique

die Sendung	*programme*	das Tagebuch	*diary*
die Folge	*episode*	die Wahl	*vote*
die Geschichte	*story*	selber	*oneself, yourself*
im Netz	*on the Net*		

1b Viele Wörter im Text sehen wie englische Wörter aus.
Finde mindestens acht Wörter.
Beispiel: finde, Soaps, Netz, . . .

1c Beantworte folgende Fragen.
Beispiel: **1** stupid and boring

1 How does the author of the article find programmes like *Neighbours*?
2 Which soaps does the author like?
3 How often does *Clique* appear on the Net?
4 What is good about the *Clique* website?
5 How old are the people in *www.diary.de*?
6 What is on the *www.diary.de* website?
7 What sort of soap is *Heldenfußallee*?
8 What do you have to do for *doyoursoap*?

2 Hör zu. Vier Reality-Soap-Stars geben ein Interview.
Schreib mindestens drei Details pro Person auf. (1–4)
Beispiel: **1** Kimberly – 17 J. – Musik hören – brünett – 1,65 m

Kimberly

Yilmaz

Anna

Luke

3a Erfinde einen neuen Reality-Soap-Star.
Beispiel: Ich heiße (Dino) und ich bin (neunzehn) Jahre alt. Ich wohne in (Rom). Ich bin
(Italiener). Ich (spiele) gern (Fußball) und ich (höre) gern (Musik). Gestern Abend
(bin) ich (ins Kino gegangen). Ich habe einen (Horrorfilm) gesehen, aber er war
sehr (blöd).

3b Gruppenarbeit.
Macht Interviews mit
den Reality-Soap-Stars.

Wie heißt du?

Wie alt bist du?

Was machst du gern?

Wo wohnst du?

Bist du ...?

Was hast du gestern Abend gemacht?

Lernzieltest Check that you can:

1
- ask a friend if he/she likes certain types of film

  Magst du Horrorfilme?

- ask a friend what he/she thinks of certain types of film

  Wie findest du Liebesfilme?

- say what you think of certain types of film

  Ich finde sie gruselig/lustig/spannend.

2
- phone a friend to invite him/her to the cinema

  Hallo, Katja. Hier spricht Ronny. Hast du am Samstag frei? Gehen wir ins Kino?

- add little words and phrases to gain time

  Sag mal. Wie bitte? Moment mal.

3
- talk about how many CDs/videos you buy per month

  Wie viele CDs/Musikvideos kaufst du im Monat? Ich kaufe eine CD / drei Musikvideos im Monat.

- talk about how many music programmes you watch per week

  Wie viele Musiksendungen siehst du in der Woche? Ich sehe eine Musiksendung / keine Musiksendungen in der Woche.

- talk about how often you go to a concert

  Wie oft gehst du ins Konzert? Ich gehe nie / einmal im Jahr ins Konzert.

- talk about favourite singers and groups

  Wer ist dein Lieblingssänger? Meine Lieblingssängerin ist Britney Spears.

4
- ask a friend what he/she thinks of certain types of book

  Wie findest du Sportbücher/Liebesromane?

- say what you think of certain types of book

  Fantasy finde ich blöd. Sportbücher finde ich interessant.

- ask a friend what his/her favourite book is

  Was ist dein Lieblingsbuch?

- say what your favourite book is and why

  Mein Lieblingsbuch ist Das Haus der Treppen. Es ist sehr gut und spannend.

5
- ask what people can do on a computer

  Was kann man am Computer machen?

- say what people can do on a computer

  Man kann E-Mails schreiben und lesen. Man kann im Internet surfen.

6
- ask a friend what he/she did on a certain day

  Was hast du am Freitag gemacht?

- say what you did on a certain day

  Am Freitag habe ich Musik gehört. Am Mittwoch bin ich ins Kino gegangen.

Wiederholung

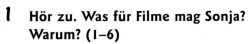

1   Hör zu. Was für Filme mag Sonja? Warum? (1–6)
Beispiel: 1 Liebesfilme – romantisch

Liebesfilme	Horrorfilme
Science-Fiction-Filme	Komödien
Actionfilme	Zeichentrickfilme

2 Partnerarbeit.

Beispiel:

▲ Hallo.

● Hallo, (Monika). Hier spricht (Erik).

▲ Grüß dich, (Erik). Wie geht's?

● Gut, danke. Sag mal, (Monika).
   Hast du am (Samstag) frei?

▲ Äh . . . (Samstag) . . . (Samstag) . . .
   Moment mal . . . Warum?

● Ja . . . gehen wir ins Kino?

▲ Tja . . . was gibt's?

● („Liebe in Wien".)

▲ Wie bitte?

● („Liebe in Wien.") Das ist ein (Liebesfilm).

▲ Ach ja? Ein (Liebesfilm)?
   Na, so was. (Liebesfilme) finde
   ich sehr (romantisch).

● Na, prima. Also, bis (Samstag)!

▲ Ja, bis (Samstag)!

Ben–Judith
Fr.

Monika–Erik
Sa.

3 Lies den Text und wähl das richtige Wort aus.

   Beispiel: 1 Am Freitag ist Robert in die Stadt gefahren.

> Hallo. Ich heiße Robert. Am Freitag bin ich in die Stadt gefahren. Ich
> habe drei CDs und ein Musikvideo gekauft. Am Sonntag bin ich ins
> Konzert gegangen. (Ich gehe immer einmal im Jahr.) Ich habe „Die
> Ärzte" gesehen – das ist meine Lieblingsgruppe, und das Konzert war
> echt klasse. Am Sonntag war ich total kaputt. Ich bin zu Hause
> geblieben und habe ein interessantes Buch gelesen. Das war ein Buch
> über Fußball in Deutschland – ich lese sehr gern Sportbücher. Am
> Dienstag bin ich mit Theresa ins Kino gegangen. Wir haben einen
> blöden Liebesfilm gesehen. Er war sehr romantisch, aber Liebesfilme
> finde ich blöd.

1 Am Freitag/Samstag/Sonntag ist Robert in die Stadt gefahren.
2 Er hat 3/4/5 CDs gekauft.
3 Robert geht zweimal/viermal/einmal im Jahr ins Konzert.
4 Das Konzert war gruselig / echt klasse / langweilig.
5 Am Samstag/Sonntag/Montag ist Robert zu Hause geblieben.
6 Robert liest gern Sachbücher/Fantasy/Sportbücher.
7 Am Dienstag ist Robert ins Schwimmbad/Kino/Sportgeschäft gegangen.
8 Robert findet Liebesfilme blöd/romantisch/interessant.

**4 Was hast du letzte Woche gemacht? Schreib Sätze und füg weitere Details hinzu.
   Roberts Text oben hilft dir dabei.**

   Beispiel: Am Samstag bin ich ins Kino gegangen. (Der Film war ein Actionfilm.
                  Er war sehr spannend und lustig.)
                  Am Sonntag . . .

Grammatik

1 Finden

The verb **finden** follows the regular pattern, except that there's an extra -**e** before the **du** and **er/sie** endings.

ich find<u>e</u> (*I find*)
du find<u>est</u> (*you find*)
er/sie find<u>et</u> (*he/she finds*)
Thomas find<u>et</u> (*Thomas finds*)

Now let's look at the forms for more than one person.

wir find<u>en</u> (*we find*)
ihr find<u>et</u> (*you find – family members and young people*)
sie/Sie find<u>en</u> (*they/you find – adult(s) you don't know well*)

Copy the sentences and fill in the correct form of the verb *finden*.
Beispiel: 1 Ich finde Horrorfilme gruselig.

1 Ich . . . Horrorfilme gruselig.
2 Wie . . . du Liebesfilme?
3 Wir . . . Komödien sehr blöd.
4 Iris . . . Zeichentrickfilme ziemlich lustig.
5 . . . ihr Science-Fiction-Filme gut?
6 Thomas . . . Actionfilme sehr spannend.
7 Thomas und Iris . . . Komödien sehr lustig.
8 Wie . . . Sie Liebesfilme?

2 'My' and 'your' (*mein* and *dein*)

Mein means *my* and **dein** means *your*. They have the same pattern of endings as **ein** (which you saw in Chapter 1).

m	**ein Kuli** = *a pen*	**mein Kuli** = *my pen*	**dein Kuli** = *your pen*
f	**eine CD** = *a CD*	**meine CD** = *my CD*	**deine CD** = *your CD*
n	**ein Buch** = *a book*	**mein Buch** = *my book*	**dein Buch** = *your book*

Fill in the gaps with *mein* or *meine*.
Beispiel: 1 Mein Vater heißt Alfred.

1 . . . Vater heißt Alfred.
2 . . . Mutter heißt Sonja.
3 . . . Bruder heißt Stefan.
4 . . . Schwester heißt Anna.
5 . . . Lieblingssänger ist Tom Jones.
6 . . . Lieblingssängerin ist Lulu.

Now fill in the gaps with *dein* or *deine*.
Beispiel: 1 Wie heißt dein Vater?

1 Wie heißt . . . Vater?
2 Wie heißt . . . Mutter?
3 Wie heißt . . . Bruder?
4 Wie heißt . . . Schwester?
5 Wie heißt . . . Lieblingssänger?
6 Wie heißt . . . Lieblingssängerin?

3 Asking questions

Wer? *(Who?)*   **Wie?** *(How?)*
Was? *(What?)*   **Wie oft?** *(How often?)*
Wann? *(When?)*   **Wie viele?** *(How many?)*
Wo? *(Where?)*

Fill in the correct question word each time.
Beispiel: 1 Wer ist das? Das ist Sonja.

1 . . . ist das? Das ist Sonja.
2 . . . alt ist Sonja?
3 . . . hat Sonja Geburtstag?
4 . . . ist das? Das ist Sonjas Buch.

5 . . . wohnt Sonja?
6 . . . . . . geht Sonja ins Kino? Viermal im Jahr.
7 . . . . . . CDs kauft Sonja im Monat? Sie kauft etwa vier CDs im Monat.

4 Talking about what you (people) can do *(Man kann . . .)*

When you use **Man kann . . .** *(you/people can)* the second verb goes to the end of the sentence. Look at the difference between the English and German below.

You can surf the net.   **Man kann im Internet surfen.**
You can listen to music.   **Man kann Musik hören.**

Order the words to make sentences, always starting with *Man kann*.
Beispiel: 1 Man kann Computerspiele spielen.

1 spielen Computerspiele Man kann
2 Man surfen kann im Internet
3 Musik Man hören kann

4 schreiben Man E-Mails kann
5 Man machen kann Hausaufgaben
6 Programme kann Man schreiben

5 Word order in the perfect tense

Do you remember from Chapter 2 that the verb is always the second idea in a German sentence? If you start a sentence with a time expression (e.g. **am Freitag, am Samstag**), change the order of the pronoun and verb so that the verb comes next: **ich habe → habe ich; ich bin → bin ich.**

1	2	3	End
Ich	**habe**		**ferngesehen.**
Am Freitag	**habe**	**ich**	**ferngesehen.**
Ich	**bin**		**ins Kino gegangen.**
Am Samstag	**bin**	**ich**	**ins Kino gegangen.**

The past participle (**ferngesehen, gegangen**) goes right to the end of the sentence.

Write sentences starting with *Am* + the day.
Beispiel: 1 Am Freitag habe ich ferngesehen.

1 Ich habe ferngesehen. (Freitag)
2 Ich habe Musik gehört. (Samstag)
3 Ich habe Computerspiele gespielt. (Sonntag)
4 Ich bin ins Kino gegangen. (Montag)
5 Ich bin schwimmen gegangen. (Dienstag)
6 Ich habe Fußball gespielt. (Mittwoch)
7 Ich bin einkaufen gegangen. (Donnerstag)

Wörter

Filme / Films

Magst du . . .	Do you like . . .
Wie findest du . . .	What do you think of . . .
Actionfilme?	action films?
Horrorfilme?	horror films?
Komödien?	comedies?
Liebesfilme?	romantic films?
Science-Fiction-Filme?	science-fiction films?
Zeichentrickfilme?	cartoons?
Ich finde sie (sehr lustig).	I think they're (very funny).
sehr	very
so	so
total	totally
ziemlich	quite
zu	too
gruselig	horrible/scary
langweilig	boring
lustig	funny
romantisch	romantic
schrecklich	terrible
spannend	exciting

Am Telefon / On the phone

Hallo, (Katja).	Hello, (Katja).
Hier spricht (Ronny).	It's (Ronny) here.
Sag mal, (Katja) . . .	Hey, (Katja) . . .
Hast du am (Samstag) frei?	Are you free on (Saturday)?
Gehen wir ins Kino?	Shall we go to the cinema?
Was gibt's?	What's on?
(„Tankmann".) Das ist (ein Actionfilm).	('Tankmann'.) It's (an action film).
(Actionfilme) finde ich toll.	I think (action films) are great.
(Actionfilme) finde ich blöd.	I think (action films) are stupid.
Prima! Also, bis (Samstag)!	Great! See you (Saturday), then!
Ach, schade. Tschüs.	Oh, what a pity. Bye.

Zeit gewinnen / Gaining time

Ach ja?	Oh yes?
Äh . . .	Er . . .
Moment mal.	Just a moment.
Na, so was.	Oh, really.
Tja . . .	Well . . .
Wie bitte?	Pardon?

Musik / Music

Wie viele CDs kaufst du im Monat?	How many CDs do you buy in a month?
Wie viele Musikvideos kaufst du im Monat?	How many music videos do you buy in a month?
Ich kaufe eine CD.	I buy one CD.
Ich kaufe zwei CDs.	I buy two CDs.
Ich kaufe ein Musikvideo.	I buy one music video.
Ich kaufe drei Musikvideos.	I buy three music videos.
Ich kaufe keine CDs.	I don't buy any CDs.
Ich kaufe keine Musikvideos.	I don't buy any music videos.
Wie viele Musiksendungen siehst du in der Woche?	How many music programmes do you watch in a week?
Ich sehe eine Musiksendung in der Woche.	I watch one music programme in a week.
Wie oft gehst du ins Konzert?	How often do you go to a concert?
Ich gehe etwa (zweimal) im Jahr ins Konzert.	I go to a concert about (twice) a year.
einmal	once
zweimal	twice
dreimal	three times
viermal	four times
Ich gehe nie ins Konzert.	I never go to a concert.
Wer ist dein Lieblingssänger?	Who's your favourite male singer?
Mein Lieblingssänger ist . . .	My favourite male singer is . . .
Wer ist deine Lieblingssängerin?	Who's your favourite female singer?

Meine Lieblingssängerin ist . . .	*My favourite female singer is . . .*
Was ist deine Lieblingsgruppe?	*What's your favourite group?*
Meine Lieblingsgruppe ist . . .	*My favourite group is . . .*

Bücher / *Books*

Wie findest du . . .	*What do you think of . . .*
Comics?	*comics?*
Fantasy?	*fantasy?*
Liebesromane?	*love stories?*
Sachbücher?	*non-fiction?*
Sportbücher?	*sports books?*
Zeitschriften?	*magazines?*
(Comics) finde ich . . .	*I think (comics) are . . .*
blöd.	*stupid.*
gut.	*good.*
interessant.	*interesting.*
langweilig.	*boring.*
lustig.	*funny.*
schrecklich.	*terrible.*
spannend.	*exciting.*
Was ist dein Lieblingsbuch?	*What's your favourite book?*
Mein Lieblingsbuch ist . . .	*My favourite book is . . .*

Der Computer / *The computer*

Was kann man am Computer machen?	*What can you do on a computer?*
Man kann Computerspiele spielen.	*You can play computer games.*
Man kann E-Mails lesen.	*You can read e-mails.*
Man kann E-Mails schreiben.	*You can write e-mails.*
Man kann Hausaufgaben machen.	*You can do homework.*
Man kann im Internet surfen.	*You can surf the Net.*
Man kann Musik hören.	*You can listen to music.*
Man kann Programme schreiben.	*You can write programs.*

Was hast du gemacht? / *What did you do?*

Was hast du am (Montag) gemacht?	*What did you do on (Monday)?*
Montag	*Monday*
Dienstag	*Tuesday*
Mittwoch	*Wednesday*
Donnerstag	*Thursday*
Freitag	*Friday*
Samstag	*Saturday*
Sonntag	*Sunday*
Am (Montag) habe ich Computerspiele gespielt.	*On (Monday) I played computer games.*
Am (Dienstag) habe ich ferngesehen.	*On (Tuesday) I watched television.*
Am (Mittwoch) habe ich Hausaufgaben gemacht.	*On (Wednesday) I did my homework.*
Am (Donnerstag) habe ich Musik gehört.	*On (Thursday) I listened to music.*
Am (Freitag) bin ich im Internet gesurft.	*On (Friday) I surfed the Net.*
Am (Samstag) bin ich in die Stadt gefahren.	*On (Saturday) I went into town.*
Am (Sonntag) bin ich ins Kino gegangen.	*On (Sunday) I went to the cinema.*

1 Ich habe einen Job

Talking about part-time work

1a Hör zu und wiederhole. Wer spricht? (1–6)
Beispiel: 1 Person 5

Hast du einen Job?

1 Ich arbeite im Supermarkt.

2 Ich arbeite im Restaurant.

3 Ich trage Zeitungen aus.

4 Ich wasche das Auto.

5 Ich mache Babysitting.

6 Ich mache Gartenarbeit.

1b Partnerarbeit. Würfelspiel: Wer macht zuerst alle sechs Jobs?
Schreib den Job auf, wenn du die Zahl würfelst.
Beispiel: ▲ Hast du einen Job?
● ⚀ Ja, ich (arbeite im Restaurant). Hast du einen Job?

Hast du einen Job?		
Ich	arbeite	im Supermarkt/Restaurant.
	trage	Zeitungen aus.
	wasche	das Auto.
	mache	Babysitting/Gartenarbeit.

2 Hör zu. Schreib die Tabelle ab und füll sie aus. (1–4)

	Alter	Job	😊 😞
1	16	Restaurant	✓
2		Zeitungen	✗
3	15		
4			

3a Lies den Text. Welches Bild passt zu welcher Person?
Beispiel: a Alina

a   b   c  d

Jobs für alle!

Guido ist siebzehn Jahre alt. Er arbeitet im Supermarkt. Er findet den Job echt klasse.

Alina ist sechzehn Jahre alt und sie macht Gartenarbeit. Sie arbeitet gern draußen und findet den Job sehr interessant.

Daniela ist vierzehn Jahre alt. In den Ferien hilft sie viel zu Hause – sie wäscht das Auto und sie macht Babysitting. Sie findet das ziemlich gut.

Aschi ist fünfzehn Jahre alt. Er trägt Zeitungen aus. Er arbeitet von sechs Uhr bis halb acht. Aschi mag den Job gar nicht, weil er total anstrengend und ein bisschen langweilig ist.

3b Beantworte die Fragen.
Beispiel: 1 Aschi

1 Wer mag die Arbeit nicht?
2 Wer arbeitet gern draußen?
3 Wer ist der/die jüngste Jugendliche?
4 Wer arbeitet in den Ferien?

5 Wer hat einen interessanten Job?
6 Wer arbeitet sehr früh morgens?
7 Wer arbeitet in einem Geschäft?
8 Wer ist der/die älteste Jugendliche?

4 Welche Jobs haben diese Jugendlichen? Schreib Sätze.
Beispiel: Patrick arbeitet im Supermarkt und er trägt Zeitungen aus.

Patrick **Yvonne** **Madeleine**

Vier Tipps für Computerarbeit:
1 Mach die Übung am Computer.
2 Druck sie aus.
3 Korrigiere sie mit Hilfe deines Lehrers / deiner Lehrerin.
4 Druck sie noch mal aus.

Grammatik

The present tense

ich *(I)*	arbeite	mache	trage	wasche
du *(you)*	arbeitest	machst	trägst	wäschst
er/sie *(he/she)*	arbeitet	macht	trägt	wäscht

Lern weiter ▶ 1, Seite 102; Seite 135

2 Jobanzeigen

Talking about the qualities required for certain jobs

1a Schreib die Tabelle ab und füll sie mit den elf Adjektiven unten aus.

Beispiel:

ich weiß das schon	ich kann das erraten	ich habe keine Ahnung
gut gelaunt – good-tempered	freundlich – friendly	fleißig

a Restaurant **TOPKAPI** sucht Hilfe. Muss freundlich, fleißig und gut gelaunt sein.

SPEISEKARTE

b **Suche Babysitter**. Muss ordentlich und geduldig sein.

d

c **HALLENBAD** sucht Hilfe. Muss sportlich, höflich und hilfsbereit sein.

Suche **Bürohilfe**. Muss pünktlich, computererfahren und intelligent sein.

1b Hör zu. Welcher Job passt ihnen am besten? (1–8)
Beispiel: 1 c

2a Gruppenarbeit. Was sind deine drei besten Charaktereigenschaften?
Schreib sie auf. Hat jemand in der Klasse dieselbe Liste?

Beispiel: freundlich, geduldig, ordentlich
- ▲ Ben, bist du (freundlich)?
- ● (Ja), ich bin (ziemlich freundlich).
- ▲ Bist du (geduldig)?
- ● (Nein), ich bin (nicht sehr geduldig).
  Ich bin (freundlich, fleißig und höflich).
- ▲ Natasha, bist du (freundlich)?

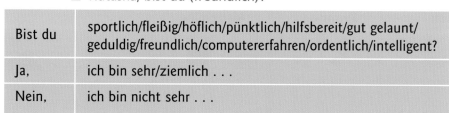

Ich bin freundlich. Bist du **sehr** freundlich, **ziemlich** freundlich oder **nicht sehr** freundlich?

Bist du	sportlich/fleißig/höflich/pünktlich/hilfsbereit/gut gelaunt/ geduldig/freundlich/computererfahren/ordentlich/intelligent?
Ja,	ich bin sehr/ziemlich . . .
Nein,	ich bin nicht sehr . . .

2b Schreib deine Resultate auf.
Beispiel: Ich bin freundlich, geduldig und ordentlich.
Ben ist freundlich, fleißig und höflich.
Natasha ist . . .

3a **Hör zu und lies. Richtig oder falsch?**
Beispiel: **1** F (falsch)

1 Guido findet seinen Job interessant.
2 Die erste Anzeige ist für einen
Job im Restaurant.
3 Man muss computererfahren sein.
4 Guido ist nicht fleißig.

5 Guido liebt Babys.
6 Guido ist sportlich.
7 Guido kann nicht schwimmen.
8 Der Job im Hallenbad ist genau richtig für
Guido.

Vicky: Grüß dich, Guido. Wie geht's?
Guido: Ach, nicht sehr gut. Ich suche
einen neuen Job.
Vicky: Ja?
Guido: Ja. Mein Job ist so langweilig.
Vicky: Sieh mal, hier sind einige Jobs für dich!
Guido: Ach, super. Danke.
Vicky: Hier ist ein Job im Restaurant.
Guido: Toll!
Vicky: Ach, nein. Man muss freundlich, fleißig
und gut gelaunt sein.
Guido: Ach, das bin ich nicht. Aber Babysitter.
Das ist besser.
Vicky: Aber Guido, du magst Babys nicht.
Guido: Stimmt.
Vicky: Bist du sportlich?
Guido: Ja.
Vicky: Bist du höflich?
Guido: Äh . . . manchmal.
Vicky: Und bist du hilfsbereit?
Guido: Ja, klar.
Vicky: Dann ist dieser Job im Hallenbad
genau richtig für dich.
Guido: Nein, Vicky. Das stimmt nicht.
Vicky: Warum nicht?
Guido: Ich kann nicht schwimmen!

Hör die Kassette noch mal
an. Imitiere die Intonation
und die Aussprache. Lies den
Dialog dramatisch vor.

3b **Partnerarbeit. Lest den Dialog zu zweit vor.**

4 **Schreib zwei Anzeigen für ideale Jobs wie in Übung 1a.**
Beispiel:

Schokoladengeschäft sucht
Hilfe. Muss sehr freundlich,
hilfsbereit und lustig sein.
Muss gern Schokolade essen.

Fußballclub sucht Hilfe.
Muss sportlich, pünktlich
und fleißig sein. Muss gern
Fußball spielen.

Internetcafé sucht Hilfe.

Musikladen sucht Hilfe.

Schwimmbad sucht Hilfe.

3 Worauf sparst du?

Talking about what you are saving for

1a **Hör zu und wiederhole. Wer spricht? (1–8)**
Beispiel: **1** e

Worauf sparst du?

Ich spare auf einen Computer.

Ich spare auf eine Stereoanlage.

Ich spare auf ein Fahrrad.

Ich spare auf Kleidung.

Ich spare auf CDs und Videos.

Ich spare auf Computerspiele.

Ich spare auf die Ferien.

Ich spare nicht.

Ich spare auf . . .
I'm saving for . . .

1b **Wer ist das?**
Beispiel: **1** g

1 Diese Person spart, weil sie gern nach Spanien und Italien fährt.
2 Diese Person ist computererfahren, aber sie hat keinen Computer.
3 Diese Person geht gern in Boutiquen.
4 Diese Person hört gern Musik und sieht gern fern.
5 Diese Person macht gern Radtouren.
6 Diese Person interessiert sich nicht für's Sparen.
7 Diese Person spielt gern am Computer.

1c **Partnerarbeit. Memoryspiel.**

Beispiel: ▲ Worauf sparst du?
● Ich spare auf (Computerspiele). Worauf sparst du?
▲ Ich spare auf (Computerspiele) und (die Ferien). Worauf sparst du?
● Ich spare auf (Computerspiele, die Ferien) und (ein Fahrrad).

Worauf sparst du?	
Ich spare auf	einen Computer. eine Stereoanlage. ein Fahrrad. Kleidung/CDs/Videos/Computerspiele. die Ferien.
Ich spare nicht.	

 2 **Hör zu. Worauf sparen sie? (1–6)**

Beispiel: 1 Ferien, Computer

 3 **Sieh dir die Grafik an und beantworte die Fragen.**

Beispiel: 1 2

1 Wie viele Mädchen sparen auf ein Mofa?
2 Wie viele Jungen sparen auf Kleidung?
3 Wie viele Mädchen sparen auf einen Computer?
4 Wie viele Jungen sparen auf eine Stereoanlage?
5 Worauf sparen vier Mädchen?
6 Worauf sparen zehn Jungen?

Worauf Teenies sparen

Von 100 Teenagern im Alter von 14 bis 17 Jahren sparen so viele auf …

Jungen		Mädchen
21	den Führerschein	12
12	einen PC und Zubehör	5
12	ein Motorrad/Mofa	2
10	ein Auto	7
4	eine Reise, die Ferien	12
4	eine Stereoanlage, einen CD-Player	4
2	Kleidung	8
2	Sportausrüstung	3

 4a **Gruppenarbeit. Worauf sparst du? Frag drei Personen in der Klasse.**

Beispiel: ▲ Worauf sparst du, Matty?
● Ich spare auf (die Ferien). Worauf sparst du?
▲ Ich spare auf (einen Computer). Worauf sparst du, Louise?

 4b **Schreib deine Resultate auf.**

Beispiel: Ich spare auf einen Computer.
Matty spart auf die Ferien.
Louise spart auf . . .

MINI-TEST

Check that you can:
● talk about part-time work
● talk about personal qualities
● talk about what you're saving for

4 Was kostet das?

Counting to 10,000
Saying what you have/haven't got

1 **Sieh dir die Bilder unten an. Welches Bild ist das?**
Beispiel: **1** c – 204

1 zweihundertvier
2 dreißig
3 sechstausendzweihundertfünfunddreißig

4 zehn
5 dreihundertneunundneunzig
6 tausendvierhundertzweiundneunzig

a   b   c   d   e   f

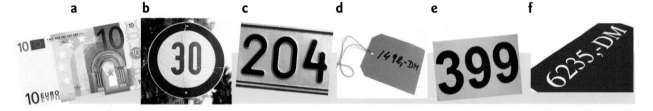

2a **Hör zu und wiederhole. Schreib die Zahlen auf. (1–10)**
Beispiel: **1** 100

100	hundert	200	zweihundert	600	sechshundert	1000	tausend
101	hunderteins	300	dreihundert	700	siebenhundert	2000	zweitausend
102	hundertzwei	400	vierhundert	800	achthundert	3000	dreitausend
110	hundertzehn	500	fünfhundert	900	neunhundert	4000	viertausend
125	hundertfünfundzwanzig		1125	tausendeinhundertfünfundzwanzig			

2b **Welche Zahl ist das?**
Beispiel: **1** 134

1 hundertvierunddreißig
2 tausendfünfhundert
3 dreihundertelf
4 sechstausendzweihundertdreizehn
5 achthundertfünfundachtzig
6 viertausendneunzig
7 siebenhundertdrei
8 zweitausendneunhundertvierzig

Vergiss die Zahlen nicht! Lern sie heute und überprüfe sie dann nächste Woche noch mal . . . und die folgende Woche. Vokabeln immer lernen und dann noch mal überprüfen.

3 **Gruppenarbeit. Das Zahlenspiel: Sag immer die nächste Zahl.**
Beispiel: ▲ Tausendfünfhundertdrei.
● Tausendfünfhundertvier.

1503
6400
7639
4582
9316
8749
2316

4a Lies den Text. Ist das für Guido, Alina, Aschi oder Daniela?
Beispiel: a Alina

Guido arbeitet im Supermarkt. Er spart sein Geld und im Moment spart er auf einen Computer. Ein Computer kostet etwa zweitausend Euro, also muss Guido noch länger sparen.

Alina macht Gartenarbeit. Sie will ein Fahrrad kaufen, aber das kostet etwa zweihundertfünfzig Euro und Alina kann ihr Geld nicht sparen. Sie gibt es immer sofort aus.

Aschi trägt Zeitungen aus. Er spart sein Geld und letzten Monat hat er ein Handy gekauft. Das hat hundertzwanzig Euro gekostet. Jetzt spart er auf eine Jacke. Sie kostet fünfundvierzig Euro.

Daniela macht Babysitting und sie spart ihr Geld. Letzten Monat hat sie einen neuen Fotoapparat gekauft. Er hat zweihundert Euro gekostet und jetzt spart sie auf eine Stereoanlage. Die Stereoanlage kostet aber fünfhundertvierzig Euro, also muss sie noch länger sparen.

4b Was kosten die Dinge oben?
Beispiel: a €250

4c Beantworte die Fragen.
Beispiel: 1 Guido

1 Wer spart auf einen Computer?
2 Wer hat keine Stereoanlage?
3 Wer kann sein Geld nicht sparen?
4 Wer hat ein Handy gekauft?
5 Wer hat kein Fahrrad?
6 Wer hat einen neuen Fotoapparat?

5 Hör zu. Was kaufen sie? Was kostet das? (1–6)
Beispiel: 1 Stereoanlage – €1550

6 Schreib Sätze für dich über die Bilder zu Übung 4a.
Beispiel: a Ich habe ein Fahrrad.
b Ich habe kein Handy.

	einen/keinen	Computer/Fotoapparat.
Ich habe	eine/keine	Stereoanlage/Jacke.
	ein/kein	Handy/Fahrrad.

Grammatik
Talking about what you haven't got

Ich habe	keinen Computer. *(m)*
	keine Jacke. *(f)*
	kein Handy. *(n)*

Lern weiter ▶ 3, Seite 103; Seite 134

5 Im Second-Hand-Laden

Buying clothes

1a **Hör zu. Was kauft man? (1–6)**
Beispiel: 1 b

a

€4

der Pullover

b

€3

das T-Shirt

c

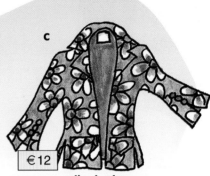

€12

die Jacke

d

€13

der Rock

e

€17

das Kleid

f

€8

die Hose

1b **Partnerarbeit.**
Beispiel: ▲ Was kostet (die Jacke)?
● (Sie) kostet (zwölf) Euro.
Was kostet (das Kleid)?

2 **Ergänze die Sätze.**
Beispiel: 1 Kann ich bitte die Hose anprobieren?

1 Kann ich bitte die anprobieren?

2 Kann ich bitte den anprobieren?

3 Na, wie ist das ?

Grammatik

'It'

m	der Pullover	→	er *(it)*
f	die Jacke	→	sie *(it)*
n	das Kleid	→	es *(it)*

Lern weiter ▶ 4, Seite 103

4 Kann ich bitte die  anprobieren?

5 Na, wie ist das ?

6 Kann ich bitte den anprobieren?

3 Hör zu und lies den Dialog. Dann hör noch mal zu, ohne ins Buch zu schauen.

Verkäuferin:	Hallo, kann ich dir helfen?
Guido:	Ja, kann ich bitte die Hose anprobieren?
Verkäuferin:	Ja, klar. Die Kabine ist dort drüben.
Guido:	Danke.
Verkäuferin:	Na, wie ist die Hose?
Guido:	Ach, sie ist genau richtig. Was kostet sie?
Verkäuferin:	Acht Euro.
Guido:	Super, vielen Dank.

Du hörst den Dialog dreimal auf der Kassette:
1 ziemlich langsam, 2 etwas schneller, 3 normal.
Hör aufmerksam zu und versuch, dir jeweils
„Hose", „Kabine" und den Preis zu merken.

4 Hör zu. Schreib die Tabelle ab und füll sie aus. (1–6)

	Was?	€
1	Rock	15

5 Partnerarbeit. Übt Dialoge im Second-Hand-Laden – mit Pfiff!

▲ Hallo, kann ich dir helfen?

● Ja, kann ich bitte anprobieren?

den Rock/Pullover
die Hose/Jacke
das T-Shirt/Kleid

▲ Ja, klar. Die Kabine ist dort drüben.

● Danke.

▲ Na, wie ist  ?

der Rock/Pullover
die Hose/Jacke
das T-Shirt/Kleid

● Ach, er/sie/es ist genau richtig. Was kostet er/sie/es?

▲ €6   €17   €8   €13   €15   €9

● Super, vielen Dank.

6 Schreib einen Dialog wie oben auf und nimm ihn mit deinem Partner /
deiner Partnerin auf Kassette auf.
Beispiel: – Hallo, kann ich dir helfen?
– Ja, kann ich bitte den Pullover anprobieren?

6 Das Geldspiel

Talking about what you did with your money last month
Playing a game

1a Hör zu und lies. Wem gehört das?

Beispiel: a Peter

a   b   c   d   e   f

Was hast du letzten Monat gekauft?

Ich habe ein Handy gekauft.

Guido

Ich habe einen Fernseher gekauft.

Daniela

Ich habe einen Computer gekauft.

Peter

Aschi

Ich habe €100 gespart.

Vicky

Ich habe CDs gekauft.

Ilke

Ich habe Kleidung gekauft.

1b Partnerarbeit.

▲ Was hast du letzten Monat gekauft?
● Ich habe (einen Computer) gekauft.
▲ Du bist (Ilke).

Ich habe	ein Handy einen Fernseher/Computer CDs/Kleidung	gekauft.
	hundert Euro	gespart.

2 Hör zu. Was haben sie gekauft oder wie viel haben sie gespart? (1–6)

Beispiel: 1 Handy

1 Handy/Videos/CDs
2 Kleidung/Computer/Hose
3 €75 / €50 / €90

4 Kleidung/CDs/Fernseher
5 4 CDs / Computer / Handy
6 €25 / €8 / €75

3 Was haben die Jugendlichen in Übung 1a letzten Monat gekauft? Schreib Sätze.

Beispiel: Aschi hat ein Handy gekauft.

Grammatik

The perfect tense

Ich habe ein Handy **gekauft**.
Was **hast du gekauft**?
Er/Sie hat einen Computer **gekauft**.
Er/Sie hat 50 Euro **gespart**.

Lern weiter ▶ 5, Seite 103; Seite 135

4a Partnerarbeit. Das Geldspiel.

Beispiel: ▲ Also, ich bin dran. Ich habe eine (Zwei). Eins, zwei.
● Das ist (grün). (Wie viel Geld hast du gespart?)
▲ Ich habe (fünfzig Euro gespart). Du bist dran.
● O.K. Also, ich habe eine (Vier). Eins, zwei, drei, vier.
▲ Das ist (rot). (Was hast du gekauft?)
● Ich habe (ein Handy gekauft). Du bist dran.

| ▮ | = Was hast du gekauft? | ▮ | = Wie viel Geld hast du gespart? |

!! = Zwei Felder zurück!   **Fehler** = Einmal aussetzen!

7 Ein Job in Ehren

1 **Hör zu und lies den Artikel aus _JUMA_. Wer ist das im Foto?**
Beispiel: a Arne

Sie machen einen Job, aber verdienen kein Geld dabei.
Sie machen ein Ehrenamt.

Semir (18)

Seit drei Jahren trainiere ich die kleinsten
Kicker im Fußballclub TuS Heven. Ich finde
den Job echt klasse. Wir haben zwei Gruppen
mit 34 Spielern. Die Jungen sind toll und
immer gut gelaunt und freundlich. Die Jungen
lernen „Fairplay". Das finde ich sehr wichtig.

Martina (17)

Ich singe sehr gern. Seit über sieben Jahren bin
ich im Schulchor. Ich leite die Übungsgruppe
und ich mache Poster für unsere Konzerte. Ich
organisiere auch Partys für den Chor. Ich muss
viel am Wochenende arbeiten. Im Chor singen
wir klassische und moderne Musik. Es gibt
etwa 50 Leute im Chor und sie sind alle sehr
freundlich und nett.

Arne (17)

Ich bin in der evangelischen Kirchengemeinde
aktiv. Seit zwei Jahren helfe ich bei einer
Jugendgruppe. Dieses Jahr fahre ich mit 13- bis
17-jährigen Schülern nach Frankreich. Meine
Freunde und ich machen ein Programm mit
Liederabenden, Workshops, Spielen und
Gottesdiensten. Man muss alles sehr gut planen.

Sabrina (14) und Anne (14)

Wir leiten die Mädchenturngruppe unseres
Turnvereins „Blau-Weiß Annen". Das machen
wir seit fast drei Jahren. Unsere „Babys" sind 6
bis 11 Jahre alt. Jede Woche kommen 15 bis 20
Mädchen. Die Kleinen sind echt klasse und
immer gut gelaunt. Wir machen dieses
Ehrenamt sehr gern.

O je, hier gibt es viele neue Wörter. Hilfe!
1 Ich muss nicht jedes Wort verstehen, um den Text
   zu verstehen.
2 Manche Wörter sehen wie englische Wörter aus.
3 Ich arbeite mit einem Partner / einer Partnerin
   zusammen.
4 Ich schaue in die Wörterliste.

2a Was passt zusammen?

Beispiel: 1 j (Ehrenamt – voluntary work)

1	Ehrenamt	**a**	church services
2	Fußballclub	**b**	practice group
3	Spieler	**c**	youth group
4	Übungsgruppe	**d**	musical evenings
5	Kirchengemeinde	**e**	football club
6	Jugendgruppe	**f**	church community
7	Liederabende	**g**	gym club
8	Gottesdienste	**h**	girls' gym group
9	Mädchenturngruppe	**i**	players
10	Turnverein	**j**	voluntary work

2b Such dir folgende Adjektive im Text aus.

Beispiel: 1 wichtig

1 important   3 good-tempered   5 active
2 great (2 words)   4 friendly   6 nice

3 Wer ist das?

Beispiel: a Sabrina und Anne

1 Wer macht Turnen gern?   6 Wer organisiert Ferienprogramme?
2 Wer spielt gern Fußball?   7 Wer arbeitet mit jungen Mädchen?
3 Wer singt gern?   8 Wer macht das Ehrenamt seit drei Jahren?
4 Wer macht das Ehrenamt seit   9 Wer ist sportlich?
  über sieben Jahren?   10 Wer ist musikalisch?
5 Wer arbeitet mit kleinen Jungen?

4 Welches Ehrenamt findest du am interessantesten? Übersetze diesen Absatz ins Englische.

5a Partnerarbeit. Macht ein Interview mit einem Jugendlichen auf Seite 98.

Beispiel: ▲ Wie heißt du?
    ● Ich heiße (Semir).
    ▲ Wie alt bist du?
    ● Ich bin (achtzehn) Jahre alt.
    ▲ Was machst du gern?
    ● Ich (spiele) gern (Fußball).

Ich	spiele	gern	Fußball.
	singe		
	gehe		in die Kirche.
	mache		Turnen.

5b Schreib über dein ideales Ehrenamt.

Beispiel: Ich heiße Sarah. Ich bin sechzehn Jahre alt. Ich spiele gern Fußball.
     Ich trainiere im Fußballclub.

Ich . . .	helfe im Kinderheim	trainiere Kinder im Tennisclub	leite den Chor
	besuche alte Leute	arbeite in der Jugendgruppe	mache Gartenarbeit im Altersheim

Lernzieltest   Check that you can:

1 ● ask a friend if he/she has got a part-time job	*Hast du einen Job?*
● say what your work is	*Ich arbeite im Supermarkt. Ich mache Babysitting.*
2 ● ask a friend what personal qualities he/she has	*Bist du freundlich? Bist du hilfsbereit? Bist du computererfahren?*
● say what your personal qualities are	*Ich bin ziemlich höflich. Ich bin nicht sehr geduldig.*
3 ● ask a friend what he/she is saving for	*Worauf sparst du?*
● say what you are saving for	*Ich spare auf die Ferien. Ich spare auf einen Computer.*
● say that you aren't saving	*Ich spare nicht.*
4 ● count to 10,000	*zweihundert, fünfhundert, tausend, dreitausendvierhundert*
● say what you haven't got	*Ich habe keinen Computer. Ich habe keine Stereoanlage.*
● say what you have got	*Ich habe einen Fotoapparat. Ich habe ein Handy.*
5 ● greet and help a customer in a shop	*Hallo, kann ich dir helfen? Die Kabine ist dort drüben.*
● ask to try something on	*Kann ich bitte das T-Shirt anprobieren?*
● ask how something fits	*Wie ist der Rock? Wie ist die Jacke?*
● say that something fits perfectly	*Er/Sie/Es ist genau richtig.*
● ask what something costs	*Was kostet er/sie/es?*
6 ● ask a friend how much money he/she has saved	*Wie viel Geld hast du gespart?*
● say how much money you have saved	*Ich habe fünfzig Euro gespart.*
● ask a friend what he/she has bought	*Was hast du gekauft?*
● say what you have bought	*Ich habe einen Fernseher gekauft.*

Wiederholung

1 Hör zu. Was ist das? (1–6)
Beispiel: 1 a

a   b   c   d   e   f

2 Hör zu. Schreib die Tabelle ab und füll sie aus. (1–5)

	Job	Wie?	Sparen?
1	Restaurant	interessant	Handy

3a Wähl fünf Adjektive aus und füll die Tabelle für dich und deinen Partner / deine Partnerin aus.

Beispiel:

	sehr	ziemlich	nicht sehr	nicht immer
geduldig	ich	Oliver		
sportlich	Oliver	ich		

fleißig · höflich · pünktlich · hilfsbereit · gut gelaunt

geduldig · freundlich · computererfahren · ordentlich

3b Partnerarbeit. Seid ihr einverstanden?

Beispiel: ▲ Bist du (geduldig)?
  ● (Ja), ich bin (sehr geduldig). Bist du (hilfsbereit)?

> Ja, ich bin sehr/ziemlich . . .
> Nein, ich bin nicht sehr / nicht immer . . .

4 Lies die E-Mail und ergänze die Sätze.

Beispiel: 1 zwei

1 Nadine hat . . . Jobs.
2 Nadine trägt . . . aus.
3 Nadine muss um . . . Uhr aufstehen.
4 Nadine bekommt . . . Euro dafür.
5 Sie muss immer . . . und . . . sein.
6 Am Samstag macht Nadine . . .
7 Dann muss sie . . . und . . . sein.
8 Nadine spart auf eine . . .

Hallo Kim,
ich habe zwei Jobs! Am Wochenende trage ich Zeitungen aus. Das finde ich sehr anstrengend - ich muss um sieben Uhr aufstehen! Ich arbeite von halb acht bis zehn Uhr und ich bekomme 15 Euro dafür. Ich muss immer pünktlich und freundlich sein, aber das finde ich um acht Uhr morgens ein bisschen schwierig! Am Samstag mache ich auch Babysitting. Das finde ich O.K., aber ich muss sehr höflich und geduldig sein - das ist nicht einfach! Ich spare auf eine neue Stereoanlage. Wie geht's mit deinen Jobs? Wie viele hast du im Moment?
Schreib bald!
Deine Nadine

5 Was haben diese Leute gekauft? Schreib Sätze.

Beispiel: a Ich habe einen Computer gekauft.

a   b   c   d

e  f   g   h

> einen Computer/Fernseher
> eine Stereoanlage/Jacke
> ein Handy/Fahrrad
> Kleidung/CDs

6 Schreib eine E-Mail an Nadine in Übung 4.

Beispiel:
Hallo Nadine,
ich habe drei Jobs! Ich mache Babysitting. Das finde ich sehr lustig.
Babysitting mache ich am Samstag von sieben bis neun Uhr.
Ich muss geduldig sein. Ich mache auch Gartenarbeit.
Das ist sehr anstrengend . . .

Grammatik

1 Talking about the present: *arbeiten, machen, tragen, waschen*

As you saw in Chapter 3, verbs in the present tense usually end in **-e** for the **ich** *(I)* form and **-t** for the **er/sie** *(he/she)* form. Here are some more verbs with these endings:

ich arbeit<u>e</u>	*I work*	er/sie arbeit<u>et</u>	*he/she works*
ich mach<u>e</u>	*I do*	er/sie mach<u>t</u>	*he/she works*
ich trag<u>e</u> . . . aus	*I deliver*	er/sie tr<u>ä</u>gt . . . aus	*he/she delivers*
ich wasch<u>e</u>	*I wash*	er/sie w<u>ä</u>sch<u>t</u>	*he/she washes*

Notice that:
- **arbeiten** has an extra **e** before the **-t** ending in the **er/sie** form (like **finden**, Chapter 4)
- in **waschen** and **tragen**, the **a** changes to **ä** in the **er/sie** form.

Complete the sentences with the correct form of the verb.
Beispiel: 1 Er wäscht das Auto.

1 Er . . . das Auto. (waschen)
2 Ich . . . im Supermarkt. (arbeiten)
3 Jens . . . im Restaurant. (arbeiten)
4 Sie . . . Zeitungen aus. (tragen)

5 Petra . . . Babysitting. (machen)
6 Ich . . . Gartenarbeit. (machen)
7 Ich . . . das Auto. (waschen)

2 Talking about what you are saving for

Use **sparen auf** to talk about what you are saving for.

Ich spare auf . . .   *I'm saving for . . .*

After **sparen auf**, **ein** *(a)* changes to **einen** *(a)* if the noun is masculine (**der/ein**):

Ich spare auf	*(m)* ein<u>en</u> **Computer.**	*I'm saving for a computer.*
	(f) eine **Jacke.**	*I'm saving for a jacket.*
	(n) ein **Handy.**	*I'm saving for a mobile phone.*

Say you are saving for these things.
Beispiel: a Ich spare auf einen Fotoapparat.

Ich spare auf einen/eine/ein . . .

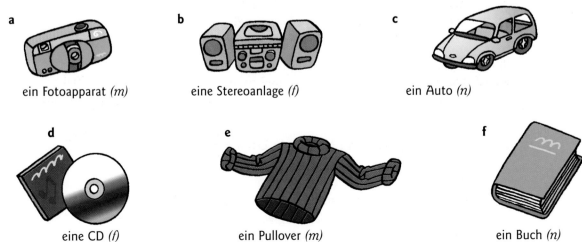

a ein Fotoapparat *(m)*   **b** eine Stereoanlage *(f)*   **c** ein Auto *(n)*

d eine CD *(f)*   **e** ein Pullover *(m)*   **f** ein Buch *(n)*

3 Talking about what you haven't got (kein)

The word **kein** is used to say what you haven't got. Just take **einen** *(m)*, **eine** *(f)* or **ein** *(n)* and add a **k** to the beginning of the word.

m   Ich habe **einen** Computer. → Ich habe **keinen** Computer.   *I haven't got a computer.*
f   Ich habe **eine** Jacke. → Ich habe **keine** Jacke.   *I haven't got a jacket.*
n   Ich habe **ein** Handy. → Ich habe **kein** Handy.   *I haven't got a mobile phone.*

Look at the pictures on page 102 and write sentences saying you haven't got those things.
Beispiel: a Ich habe keinen Fotoapparat.

Ich habe keinen/keine/kein . . .

4 'It'

To say 'it' in German, there are three different words:

masculine words   **der Pullover** → **er** *(it)*
feminine words   **die Jacke** → **sie** *(it)*
neuter words   **das Kleid** → **es** *(it)*

Rewrite the sentences using 'it' *(er/sie/es)* **instead of the nouns.**
Beispiel: 1 Es ist genau richtig.

1 <u>Das Kleid</u> ist genau richtig.
2 <u>Die CD</u> kostet zwanzig Euro.
3 <u>Der Pullover</u> ist ideal für die Party.
4 <u>Die Hose</u> ist sehr alt.
5 <u>Der Computer</u> ist kaputt.
6 Ich mag <u>die Stereoanlage</u>.
7 Wie findest du <u>das Buch</u>?
8 <u>Der Bus</u> kommt immer zu spät.

5 Talking about the past with *ich* and *er/sie* (the perfect tense with 'I' and 'he/she')

Do you remember from Chapter 2 how to talk about things you have done in the past? To talk about what you have done, you use **ich habe** or **ich bin** with a past participle (e.g. **gekauft, gearbeitet**). If you are talking about what somebody else has done, **ich habe** changes to **er** *(he)* **hat** or **sie** *(she)* **hat**.

Ich **habe** einen Fernseher gekauft.   *I bought a TV.*
Er **hat** einen Fernseher gekauft.   *He bought a TV.*
Sie **hat** einen Fernseher gekauft.   *She bought a TV.*

Fill in the gaps with *habe* **or** *hat*. **What do the sentences mean?**
Beispiel: 1 Ich habe einen Film gesehen. – I saw a film.

1 Ich . . . einen Film gesehen.
2 Er . . . ferngesehen.
3 Sie . . . Babysitting gemacht.
4 Ich . . . viel Geld gespart.
5 Ilke . . . im Supermarkt gearbeitet.
6 Eric . . . Zeitungen ausgetragen.
7 Ich . . . das Auto gewaschen.
8 Alina . . . Tennis gespielt.

Wörter

Jobs

Hast du einen Job?

Ja, ich arbeite im
  Restaurant.
Ja, ich arbeite im
  Supermarkt.
Ich mache Babysitting.
Ich mache Gartenarbeit.
Ich trage Zeitungen aus.
Ich wasche das Auto.

Part-time jobs

*Have you got a part-
  time job?*
*Yes, I work at the
  restaurant.*
*Yes, I work at the
  supermarket.*
I do babysitting.
I do garden work.
I deliver newspapers.
I wash the car.

Charaktereigen-
  schaften

Bist du . . .
  computererfahren?
  geduldig?
  gut gelaunt?
  fleißig?
  freundlich?
  hilfsbereit?
  höflich?
  intelligent?
  ordentlich?
  pünktlich?
  sportlich?
Ja, ich bin sehr (fleißig).

Ja, ich bin ziemlich
  (geduldig).
Nein, ich bin nicht sehr
  (sportlich).

Character traits

Are you . . .
  computer-literate?
  patient?
  good-tempered?
  hard-working?
  friendly?
  helpful?
  polite?
  intelligent?
  tidy?
  punctual?
  sporty?
*Yes, I'm very (hard-
  working).*
Yes, I'm quite (patient).

*No, I'm not very
  (sporty).*

Sparen

Worauf sparst du?

Ich spare auf . . .
  einen Computer.
  eine Stereoanlage.
  ein Fahrrad.
  die Ferien.
  CDs.

Saving

*What are you saving
  for?*
I'm saving for . . .
  a computer.
  a hi-fi.
  a bike.
  the holidays.
  CDs.

Computerspiele.
Kleidung.
Videos.
Ich spare nicht.

computer games.
clothes.
videos.
I don't save.

Die Zahlen

hundert
zweihundert
dreihundertfünfzig
vierhundertacht-
  undneunzig
tausend
zweitausendfünfhundert

sechstausend

Numbers

a/one hundred
two hundred
three hundred and fifty
*four hundred and
  ninety-eight*
a/one thousand
*two thousand five
  hundred*
six thousand

Ich habe . . .

Ich habe einen
  Computer.
Ich habe eine
  Stereoanlage.
Ich habe ein Handy.

Ich habe keinen
  Fotoapparat.
Ich habe keine Jacke.
Ich habe kein Fahrrad.

I've got . . .

I've got a computer.

I've got a hi-fi.

*I've got a mobile
  phone.*
I haven't got a camera.

I haven't got a jacket.
I haven't got a bike.

Im Second-Hand-
  Laden

Hallo, kann ich dir
  helfen?
Ja, kann ich bitte den
  Pullover anprobieren?
Ja, kann ich bitte den
  Rock anprobieren?
Ja, kann ich bitte die
  Hose anprobieren?
Ja, kann ich bitte die
  Jacke anprobieren?

In the second-hand
  shop

Hello, can I help you?

*Yes, can I try on the
  pullover, please?*
*Yes, can I try on the
  skirt, please?*
*Yes, can I try on the
  trousers, please?*
*Yes, can I try on the
  jacket, please?*

Ja, kann ich bitte das Kleid anprobieren? — *Yes, can I try on the dress, please?*

Ja, kann ich bitte das T-Shirt anprobieren? — *Yes, can I try on the T-shirt, please?*

Ja, klar. — *Yes, of course.*

Die Kabine ist dort drüben. — *The changing room is over there.*

Danke. — *Thanks.*

Na, wie ist . . . — *Well, how is . . .*

der Pullover? — *the pullover?*

der Rock? — *the skirt?*

die Hose? — *the trousers?*

die Jacke? — *the jacket?*

das Kleid? — *the dress?*

das T-Shirt? — *the T-shirt?*

Ach, er ist genau richtig. — *Oh, it's just right. (masc.)*

Ach, sie ist genau richtig. — *Oh, it's just right. (fem.)*

Ach, es ist genau richtig. — *Oh, it's just right. (neut.)*

Was kostet er? — *What does it cost? (masc.)*

Was kostet sie? — *What does it cost? (fem.)*

Was kostet es? — *What does it cost? (neut.)*

Zwanzig Euro. — *Twenty euros.*

Super, vielen Dank. — *Great. Thanks very much.*

Geld — *Money*

Was hast du gekauft? — *What have you bought?*

Ich habe einen Computer gekauft. — *I've bought a computer.*

Ich habe einen Fernseher gekauft. — *I've bought a TV.*

Ich habe ein Handy gekauft. — *I've bought a mobile phone.*

Ich habe CDs gekauft. — *I've bought CDs.*

Ich habe Kleidung gekauft. — *I've bought clothes.*

Wie viel Geld hast du gespart? — *How much money have you saved?*

Ich habe fünfzig Euro gespart. — *I've saved fifty euros.*

6 Kein Problem

1 Meine Familie

Talking about your family

HÖREN

1a **Hör zu und wiederhole. Zeige auf die Person. (1–8)**
Beispiel: 1 *(zeige auf)* Iris

Meine Eltern heißen Jörg und Katrina.

Meikes Familie

Meine Schwester heißt Iris.

Meine Brüder heißen Frank und Felix.

Meine Stiefmutter heißt Laura.

Mein Vater heißt Sebastian.

Mein Stiefbruder heißt Max.

Latzes Familie

Meine Halbschwestern heißen Daniela und Karin.

Mein Bruder heißt Oliver.

SPRECHEN

1b **Partnerarbeit.**
Beispiel: ▲ (Meike), wie (heißt dein Vater)?
● (Mein Vater heißt Jörg.) (Latze), wie (heißen deine Halbschwestern)?
▲ (Meine Halbschwestern heißen Daniela und Karin.)

Wie heißt	dein	Vater/Stiefvater/Bruder/Halbbruder/Stiefbruder?
	deine	Mutter/Stiefmutter/Schwester/Halbschwester/Stiefschwester?
Wie heißen	deine	Eltern/Brüder/Schwestern?
Mein Vater/ . . . Meine Mutter/ . . .	heißt . . .	
Meine Eltern/ . . .	heißen . . .	

SCHREIBEN

1c **Kopiere und ergänze die Sätze.**
Beispiel: 1 Meikes Mutter heißt Katrina.
1 Meikes Mutter heißt . . . Ihr Vater heißt . . .
Ihre Brüder heißen . . . Ihre Schwester heißt . . .
2 Latzes Vater heißt . . . Seine Stiefmutter heißt . . .
Sein Stiefbruder heißt . . .
Sein Bruder heißt . . .
Seine Halbschwestern heißen . . .

Grammatik

My, your, his, her

	m	f	pl
my	mein	meine	meine
your	dein	deine	deine
his	sein	seine	seine
her	ihr	ihre	ihre

Lern weiter ▶ 1, 2, Seite 118; Seite 134

2 Lies den Text über die Seifenoper-Familie und mach zwei Listen aus den zehn Adjektiven.

Positiv	Negativ
lustig	streng

Die Familie Fix

Herr Fix, mein Vater, ist sehr <u>streng</u> und <u>altmodisch</u>. Meine Stiefmutter heißt Hermione und sie ist sehr <u>lustig</u> und <u>nett</u>. Ich habe zwei Brüder, Noah und Jonah – sie sind beide sehr <u>doof</u>. Meine Schwester, Kylie, ist <u>klasse</u>. Meine Mutter heißt Anita und sie ist ziemlich <u>nervig</u>. Leider ist sie nicht sehr <u>geduldig</u>. Mein Halbbruder, Eric, ist <u>gut gelaunt</u> und meine Halbschwester ist <u>O.K.</u>

Wie mache ich das?
1 Ich schreibe die bekannten Adjektive (lustig, O.K.) auf.
2 Ich errate die Adjektive (nervig, altmodisch).
3 Ich frage einen Partner / eine Partnerin (Ist „doof" positiv oder negativ?).
4 Ich schaue in die Wörterliste.

 3 Hör zu und mach Notizen. Positiv oder negativ? (1–6)
Beispiel: 1 Bruder ☹

 4a Hier ist deine neue Seifenoper-Familie, aber es fehlen die Charaktereigenschaften. Schreib sie auf.
Beispiel: meine Mutter – lustig

meine Mutter ....
mein Stiefvater ....
mein Stiefbruder ....
meine Schwester ....
mein Halbbruder ....
mein Vater ....
mein Bruder ....

 4b Partnerarbeit. Vergleicht eure Familien.
Beispiel: ▲ Wie ist (deine Mutter)?
● (Meine Mutter) ist (lustig).
Wie ist (deine Mutter)?
▲ Ach, (meine Mutter) ist (sehr nett).

Wie ist	dein	Vater/Stiefvater/ . . . ?	
	deine	Mutter/Stiefmutter/ . . . ?	
Mein Meine	Bruder/ . . . Schwester/ . . .	ist	lustig/nett/klasse/geduldig/gut gelaunt/ streng/altmodisch/doof/nervig/O.K.

 5 Beschreib deine Seifenoper-Familie.
Beispiel: Meine Mutter ist lustig. Mein Stiefvater ist nervig und nicht sehr geduldig.

2 Zu Hause

Talking about what you are and aren't allowed to do at home

1 Hör zu und wiederhole. Welche Frage stellt man?
Was ist die Antwort? (1–6)
Beispiel: 1 d ✗

a Darfst du ein Piercing haben?

d Darfst du laute Musik spielen?

b Darfst du Haustiere haben?

e Darfst du Pommes essen?

c Darfst du einen Job haben?

f Darfst du rauchen?

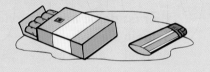

Nimm diese Fragen auf Kassette auf. Hör die Kassette oft an, bis du die Fragen auswendig lernst. Versuch auch immer deine Aussprache zu verbessern.

2a Kopiere die Fragen zu Übung 1 und beantworte sie für dich und deinen Partner / deine Partnerin.
Beispiel:

		ich	Lily
a	Darfst du ein Piercing haben?	✓	✗

2b Partnerarbeit. Hast du richtig geraten?

Beispiel: ▲ Lily, darfst du (ein Piercing haben)?
  ● (Nein.)
  ▲ Wie findest du das?
  ● Das finde ich (unfair).

Darfst du	ein Piercing / Haustiere / einen Job haben? laute Musik spielen? Pommes essen? rauchen?	Ja./Nein.
Wie findest du das?		Das finde ich fair/unfair.

3 Hör zu. Darf Ingrid das machen oder nicht? Mach Notizen. (1–6)
Beispiel: 1 Job ✓

4 Lies den Text und wähl den richtigen Satz aus.
Beispiel: 1 Latze darf keine laute Musik spielen.

	✓	✗
1	Latze darf laute Musik spielen.	Latze darf keine laute Musik spielen.
2	Latze darf rauchen.	Latze darf nicht rauchen.
3	Latze darf Haustiere haben.	Latze darf keine Haustiere haben.
4	Latze darf einen Job haben.	Latze darf keinen Job haben.
5	Latze darf Pommes essen.	Latze darf keine Pommes essen.
6	Latze darf ein Piercing haben.	Latze darf kein Piercing haben.

Meine Eltern sind nicht sehr streng und das finde ich toll. Ich darf keine laute Musik spielen und ich darf nicht rauchen, aber sonst darf ich alles machen. Ich darf Haustiere haben, also habe ich einen Hamster, zwei Mäuse und einen Hund. Ich darf einen Job haben: Samstags arbeite ich im Supermarkt und das finde ich toll. Zu Hause dürfen wir keine Pommes essen – meine Stiefmutter macht immer Diät, aber ich kaufe oft nach der Schule Pommes von der Imbissstube. Ach ja, ich darf ein Piercing haben. Meine Eltern haben nichts dagegen. Aber ich sag' euch nicht, wo das ist!

5 Schreib fünf weitere Fragen für die Umfrage auf und beantworte sie.
Beispiel: 1 Darfst du Jeans tragen? Ja.

1 Jeans
2 Schokolade
3 Wein
4 im Internet
5 spät ins Bett

gehen
trinken
essen
surfen
tragen

3 Probleme

Talking about problems

1a **Hör zu. Was für Probleme hat man als Jugendlicher? (1–6)**
Beispiel: 1 c

Was für Probleme hat man als Jugendlicher?

a Man hat
Liebeskummer.

b Man hat
Zoff mit den Eltern.

c Man findet die
Schule schwierig.

d Man hat
keine Freunde.

e Man ist nicht
sehr sportlich.

f Man hat kein Geld.

1b **Was ist das schlimmste Problem?**
Mach eine Liste von eins bis sechs.
Beispiel: **1** Man hat kein Geld.

Grammatik

Talking about what 'you do'/'one does'

Man hat . . .	One has . . .
Man ist . . .	One is . . .
Man findet . . .	One finds . . .

Lern weiter ▶ 3, Seite 119

1c **Partnerarbeit. Vergleicht eure Listen.**
Beispiel: ▲ Was hast du auf Nummer (eins)?
● (Man hat kein Geld.) Was hast du auf Nummer (eins)?

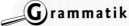

Man	hat	Liebeskummer / Zoff mit den Eltern / keine Freunde / kein Geld.
	ist	nicht sportlich.
	findet	die Schule schwierig.

2 Hör zu. Was für ein Problem haben sie? Sieh dir die Bilder auf Seite 110 an. (1–5)
Beispiel: 1 a (Liebeskummer)

3a Lies die Briefe. Welches Bild passt zu welchem Brief?
Beispiel: a Meike

a

b    c

Meine Freundin raucht zu viel

Ich habe ein großes Problem mit meiner Freundin. Sie raucht die ganze Zeit und sie findet das cool. Sie hat einen Job im Restaurant und verdient ziemlich viel Geld. Sie kauft damit aber nur Zigaretten. Ich finde das doof. Was soll ich tun?
Latze, 15 Jahre

Zoff mit dem Vater

Mein Vater ist sehr streng und altmodisch. Zu Hause darf ich nichts machen: Ich darf kein Piercing haben, ich darf keine Musik spielen und ich darf keine Haustiere haben. Ich finde das unfair. Was soll ich tun?
Meike, 14 Jahre

Ich habe Liebeskummer

Letzte Woche hat mein Freund mit mir Schluss gemacht. „Du bist zu nervig und nicht sehr geduldig", sagte er. Jetzt geht er mit meiner besten Freundin aus. Das finde ich schrecklich. Ich liebe ihn noch. Ich kann nichts essen. Ich will nur zu Hause bleiben. Ich bin so traurig. Hilfe!
Ingrid, 15 Jahre

3b Richtig oder falsch?
Beispiel: 1 F (falsch)

1 Latze hat kein Problem mit seiner Freundin.
2 Latzes Freundin raucht.
3 Latzes Freundin arbeitet im Supermarkt.
4 Latzes Freundin kauft viel Make-up.
5 Meikes Vater ist sehr streng.
6 Meike darf kein Piercing haben.

7 Meike hat drei Hamster.
8 Ingrid hat Liebeskummer.
9 Ingrids Freund geht jetzt mit ihrer Schwester aus.
10 Ingrid kann nichts essen.

4 Schreib über fünf weitere Probleme.
Beispiel: Man trinkt zu viel Kaffee.

Man . . .	trinkt	nicht gern.
	findet	nicht sehr intelligent.
	ist	zu viel Kaffee.
	hat	keine modische Kleidung.
	arbeitet	den Job sehr langweilig.

MINI-TEST

Check that you can:
- talk about your family
- talk about what you are and are not allowed to do at home
- talk about problems

4 Die Zukunft

Talking about your resolutions

1a Hör zu und wiederhole.

Meike, Ingrid, Patrick und Latze haben ihre Pläne für die Zukunft besprochen. Hier sind ihre Ideen . . .

1 Ich werde nicht rauchen.

2 Ich werde mehr lesen.

3 Ich werde einen Job finden.

4 Ich werde ein Instrument lernen.

5 Ich werde umweltfreundlicher leben.

6 Ich werde nicht launisch sein.

1b Partnerarbeit. Würfelspiel.

Beispiel: ▲ Was wirst du machen?
- 　:: Ich werde (nicht launisch sein).
  Was wirst du machen?
▲ 　: Ich werde (umweltfreundlicher leben).

Grammatik

Talking about what you are going to do in the future:
Ich werde + verb to the end

Ich **werde** ein Instrument **lernen**.

Lern weiter ▶ 4, Seite 119; Seite 136

> Wie werde ich diese Sätze lernen? Ich mache Lernkarten!

2 Hör zu und sieh dir die Bilder oben an. Was werden Meike, Ingrid, Patrick und Latze machen? (1–4)
Beispiel: 1 Meike: 6, . . .

Ich werde

nicht rauchen

3 In Zukunft werden diese Leute alles ganz anders machen. Wähl jeweils einen Satz auf Seite 112 aus.

Beispiel: 1 Ich werde nicht rauchen.

1 Im Moment rauche ich zehn Zigaretten pro Tag.
2 Ich lese gar nicht.
3 Ach, ich kann kein Instrument spielen.
4 Ich habe keinen Job.
5 Ich bin immer schlecht gelaunt.
6 Ich kaufe keine umweltfreundlichen Produkte.

4a Hör zu und lies den Auszug aus der Fernsehserie „Was wirst du machen?". Ordne die Bilder.

Beispiel: b, . . .

a   b   c   d   e

– Was wirst du machen?
– Hallo. Ich heiße Alex und ich bin fünfzehn Jahre alt. Nächstes Jahr werde ich nicht rauchen. Das verspreche ich! [klatschen]
Ich werde auch umweltfreundlicher leben. Die Umwelt finde ich sehr wichtig, also werde ich alles Mögliche kompostieren. [klatschen]
Ich werde aber auch ein Instrument lernen. Saxophon, denke ich. [klatschen]
Das ist noch nicht alles! Ich werde auch mehr lesen – mindestens ein Buch pro Monat! [klatschen]
Und als Letztes werde ich nicht launisch sein! Ich werde immer gut gelaunt sein! [klatschen]

4b Hier sind weitere Ideen aus der Fernsehserie. Schreib sie auf.

Beispiel: Ich werde keine Chips essen.

Ich werde . . .

keine Chips	gehen.
im Supermarkt	fahren.
Hausaufgaben immer	spielen.
öfter schwimmen	machen.
nach Österreich	arbeiten.
viel Fußball	essen.

5 Liebe Ellie

Writing a letter of introduction
Interviewing an older person

1a Lies den Brief. In welchem Absatz schreibt Patrick über . . .
Beispiel: 1 b

1 Sport?
2 seine Familie?
3 Jobs?

4 seine Hobbys?
5 seine Charaktereigenschaften?
6 sein Alter?

München, den 14. Mai

Liebe Ellie,

vielen Dank für deinen Brief. Jetzt stelle ich mich ein bisschen vor . . .

a ▶ Ich heiße Patrick und ich bin fünfzehn Jahre alt. Ich wohne in München. Meine Mutter, mein Stiefvater und meine Halbschwester wohnen auch hier.

b ▶ Ich habe viele Hobbys: Ich lese gern (besonders Sportbücher und Comics) und ich gehe gern ins Kino. Ich höre auch gern Popmusik und meine Lieblingsgruppe ist Scooter. Ich bin ziemlich sportlich und ich spiele gern Fußball, Tennis und Handball.

c ▶ Im Moment suche ich einen Job, weil ich auf ein Fahrrad spare. In den Sommerferien habe ich Gartenarbeit gemacht und das war super! Ich habe hundert Mark (fünfzig Euro) verdient.

d ▶ Was willst du sonst wissen? Ach ja, ich bin intelligent, fleißig und geduldig!

Willst du noch meine Brieffreundin sein?
Schreib mir bitte bald!

Dein
Patrick

1b Beantworte die Fragen.
Beispiel: 1 15

1 How old is Patrick?
2 Who does he live with?
3 What does he like reading?
4 Which sports does Patrick enjoy?

5 Why does Patrick want a job?
6 What did Patrick do last summer?
7 What personal qualities does Patrick have?

2 Hör zu. Mach Notizen zu folgenden Fragen über Ingrid, Latze und Meike. (1–3)
Beispiel: **1 a** Ingrid, **b** 15 J. , . . .

a Wie heißt du?
b Wie alt bist du?
c Wo wohnst du?
d Was machst du gern?
e Was für Charaktereigenschaften hast du?

So viele Details! Wie schreib'
ich das alles auf? Ich weiß es.
Ich mache kurze Notizen, z. B.
J = „Jahre", **Mün.** = „München".
Dann hör' ich die Kassette
noch mal an und schreib noch
weitere Details auf.

3a Gruppenarbeit. Spiel „Konsequenzen" mit folgenden Fragen.
Beispiel:

Wie heißen Sie?	*Ich heiße (Michael Owen).*
Wie alt sind Sie?	*Ich bin (45) Jahre alt.*
Wo wohnen Sie?	*Ich wohne in (Madrid), in (Spanien).*
Was machen Sie gern?	*Ich (lese) gern und ich (fahre) gern (Ski).*
Was für Charaktereigenschaften haben Sie?	*Ich bin (gut gelaunt) und (nervig).*

3b Partnerarbeit. Erfindet
Radiointerviews mit euren
Fragen und Antworten zu
Übung 3a.
Beispiel: ▲ Wie heißen Sie?
● Ich heiße (Michael Owen).

Grammatik

'You'

du = *a young person / family member* Wie alt bist du?
Sie = *an adult you don't know well* Wie alt sind Sie?

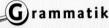
Lern weiter ▶ 5, Seite 119

4 Kopiere und ergänze diesen Brief für dich.
Beispiel:

Hastings, den 12. Juni

Lieber Patrick,

vielen Dank für deinen Brief. Jetzt stelle ich mich ein bisschen vor . . .
Ich heiße John/Annie/ . . . Ich bin vierzehn/fünfzehn/sechzehn/ . . . Jahre alt
und ich wohne in London/Birmingham/Edinburgh/ . . .
Ich habe viele Hobbys. Ich spiele gern Tennis/Computerspiele/Fußball/ . . . /
Ich höre gern Musik / Ich sehe gern fern / Ich fahre gern Ski / Ich gehe gern
einkaufen/ins Kino/ . . .
Ich bin intelligent/launisch/doof/frech/ . . .
Schreib mir bitte bald!

Dein   Deine

Lernzieltest Check that you can:

1	● ask a friend what his/her relatives are called	*Wie heißt deine Stiefmutter? Wie heißen deine Brüder?*
	● say what your relatives are called	*Mein Stiefvater heißt Frank. Meine Eltern heißen Georg und Anne.*
	● ask a friend what his/her family is like	*Wie ist dein Bruder? Wie ist deine Stiefschwester?*
	● say what your family is like	*Mein Stiefvater ist altmodisch. Meine Schwester ist sehr nett.*
2	● ask a friend whether he/she is allowed to do certain things	*Darfst du ein Piercing haben? Darfst du Pommes essen?*
	● ask a friend what he/she thinks of the rules	*Wie findest du das?*
	● say what you think of the rules	*Das finde ich fair. Das finde ich unfair.*
3	● list some problems	*Man hat Liebeskummer. Man findet die Schule schwierig. Man ist nicht sportlich.*
4	● ask a friend what he/she will do in the future	*Was wirst du machen?*
	● say what you will do in the future	*Ich werde nicht rauchen. Ich werde ein Instrument lernen.*
5	● write a letter of introduction to a penfriend	*Liebe Ellie / Lieber Patrick, jetzt stelle ich mich ein bisschen vor . . .*
	● interview an older person	*Wie heißen Sie? Wo wohnen Sie? Was machen Sie gern?*

Wiederholung

1 **Hör zu und mach Notizen. (1–10)**
Beispiel: 1 Stiefmutter – nervig

2 **Hör zu. Ordne die Bilder. Darf Konrad das machen oder nicht? (1–6)**
Beispiel: 1 e ✓

a   **b**   **c**

d   **e**   **f**

3 Partnerabeit. Übt Interviews.

Beispiel: ▲ Wie heißen Sie?
● Ich heiße (Magda Wagner).
▲ Wie alt sind Sie?
● Ich bin (sechsundvierzig) Jahre alt.

Wo wohnen Sie?
Was machen Sie gern?
Was für Charaktereigenschaften
haben Sie?

Name: Frau Magda Wagner
Alter: 46
Wohnort:

Hobbys:

Charakter: ☺

Name: Herr Jochen Thomas
Alter: 42
Wohnort:

Hobbys:

Charakter: ☹

**4 Lies den Artikel.
Was passt zusammen?**
Beispiel: 1 e

a   c e

b d  f

Jugend-Probleme

Die Klasse 8R aus Rosenheim hat eine Umfrage über Probleme von Jugendlichen gemacht. Hier sind die sechs größten Probleme unter Teenies im Alter von 14–16:

1 Man hat Liebeskummer – Probleme mit Freunden und Freundinnen sind heutzutage das größte Problem für Teenies.
2 Man hat Zoff mit den Eltern – viele Kinder finden ihre Eltern nervig und streng.

3 Man findet die Schule schwierig – Klassenarbeiten und Hausaufgaben sind oft ein großer Stress für Schüler.
4 Man hat kein Geld – viele Teenies finden keinen Job oder sie bekommen kein Taschengeld.
5 Man hat keine Freunde.
6 Man ist nicht sportlich.

5 Wie ist Julias Familie?

Beispiel: Ihre Mutter ist launisch. Ihr Bruder ist gut gelaunt.

Mutter
Bruder
Stiefvater
Halbschwester
Schwester
Stiefbruder

doof
altmodisch
launisch
gut gelaunt
streng
nervig

**6 Was meinst du? Was sind die sechs größten Probleme von Jugendlichen?
Schreib einen Artikel wie oben.**

Beispiel: Hier sind die sechs größten Probleme unter Teenies im Alter von 14–16:
1 Man hat Zoff mit den Eltern – die Eltern sind oft sehr altmodisch.

Grammatik

1 Saying 'my' *(mein)* and 'your' *(dein)* with plurals (more than one)

You know how to say *my* and *your* with singular nouns. With plural nouns (more than one),
e.g. 'my sister**s**', you use **mein<u>e</u>** *(my)*/**dein<u>e</u>** *(your)*:
mein<u>e</u>/dein<u>e</u> Eltern *(my/your parents)*.

	m	*f*	*pl*
my	**mein**	**mein<u>e</u>**	**mein<u>e</u>**
your	**dein**	**dein<u>e</u>**	**dein<u>e</u>**
	(no **-e**)	(add **-e**)	(add **-e**)

Complete the questions with *dein/deine* and the answers with *mein/meine*.
Beispiel: 1 Wie heißt deine Mutter? Meine Mutter heißt Sabrina.

1 Wie heißt . . . Mutter?	. . . Mutter heißt Sabrina.
2 Wie alt ist . . . Bruder?	. . . Bruder ist vierzehn Jahre alt.
3 Wo wohnt . . . Schwester?	. . . Schwester wohnt in Mannheim.
4 Wo arbeiten . . . Eltern?	. . . Eltern arbeiten im Supermarkt.
5 Was kauft . . . Halbbruder?	. . . Halbbruder kauft einen Pullover.
6 Wie sind . . . Schwestern?	. . . Schwestern sind total nervig.
7 Wie ist . . . Vater?	. . . Vater ist sehr nett.

2 Saying 'his' *(sein)* and 'her' *(ihr)*

Sein *(his)* and **ihr** *(her)* have the same endings as **mein** and **dein**.

	m	*f*	*pl*
his	**sein**	**sein<u>e</u>**	**sein<u>e</u>**
her	**ihr**	**ihr<u>e</u>**	**ihr<u>e</u>**
	(no **-e**)	(add **-e**)	(add **-e**)

sein Vater *(his father)*, **ihr Vater** *(her father)*
sein<u>e</u>/ihr<u>e</u> Mutter *(his/her mother)*
sein<u>e</u>/ihr<u>e</u> Schwestern *(his/her sisters)*

Here are Tom's photos. Can you describe them using *sein/seine*?
Beispiel: a Das ist sein Vater.

a   b   c   d   e

a Das ist . . . Vater.	**d** Das sind . . . Schwestern.
b Das ist . . . Stiefmutter.	**e** Das ist . . . Stiefschwester.
c Das ist . . . Bruder.	

And here are Eda's photos. Can you describe them using *ihr/ihre*?
Beispiel: a Das ist ihr Stiefvater.

a Das ist . . . Stiefvater.
b Das ist . . . Mutter.
c Das sind . . . Brüder.
d Das ist . . . Halbschwester.
e Das ist . . . Halbbruder.

a   b   c   d   e

3 Talking about what 'you do' / 'one does' / 'people do'

Do you remember **Man kann . . .** from Chapter 3? **Man** goes with the same form of verbs as **er/sie**.

haben *(to have)*   **Man hat . . .**   *One has . . .*
sein *(to be)*   **Man ist . . .**   *One is . . .*
finden *(to find)*   **Man findet . . .**   *One finds . . .*

Fill in the gaps with *hat, findet* or *ist*.
Beispiel: 1 Man hat keine Freunde.

1 Man . . . keine Freunde. (haben)
2 Man . . . nicht sehr freundlich. (sein)
3 Man . . . den Job sehr langweilig. (finden)

4 Man . . . nicht sportlich. (sein)
5 In der Schule . . . man viele Probleme. (haben)
6 Man . . . Sport anstrengend. (finden)

4 Talking about what you are going to do in the future

Use **Ich werde . . .** *(I will . . .)* to talk about resolutions: things you intend to do in the future.
Remember that in German the second verb goes to the end of the sentence (**Ich werde . . . lernen**).

1	2	3	End
Ich	**werde**	**ein Instrument**	**lernen.**
Ich	**werde**	**nach Spanien**	**fahren.**

I'll learn an instrument.

I'll go to Spain.

What are you going to do? Order the words to make sentences.
Beispiel: 1 Ich werde Hausaufgaben machen.

1 machen Ich werde Hausaufgaben
2 sein Ich höflich werde
3 werde rauchen Ich nicht

4 werde finden einen Job Ich
5 Ich fahren nach Österreich werde
6 launisch werde sein Ich nicht

5 'You'

If you are talking to a young person or a member of your family, you address them as **du**.
If you are talking to an older person you don't know well, you address them as **Sie**.

du: **Wie alt bist du?**   *How old are you?* = a young person / family member
Sie: **Wie alt sind Sie?**   *How old are you?* = an adult you don't know well

Are you talking to your friend Robbie or to Herr Braun, the maths teacher?
Beispiel: 1 Robbie

1 Wo wohnst du?
2 Haben Sie Geschwister?
3 Wie alt bist du?
4 Worauf sparst du?

5 Was haben Sie gestern gemacht?
6 Was machen Sie gern?
7 Hast du einen Job?
8 Sind Sie Deutscher?

Wörter

Die Familie / *The family*

Wie heißt . . .	*What's . . . called?*
dein Vater?	*your father*
dein Stiefvater?	*your stepfather*
dein Bruder?	*your brother*
dein Halbbruder?	*your half-brother*
dein Stiefbruder?	*your stepbrother*
deine Mutter?	*your mother*
deine Stiefmutter?	*your stepmother*
deine Schwester?	*your sister*
deine Halbschwester?	*your half-sister*
deine Stiefschwester?	*your stepsister*
Wie heißen . . .	*What are . . . called?*
deine Eltern?	*your parents*
deine Brüder?	*your brothers*
deine Schwestern?	*your sisters*
Mein Vater heißt (Jakob).	*My father is called (Jakob).*
Meine Stiefmutter heißt (Maria).	*My stepmother is called (Maria).*
Meine Eltern heißen (Judy und Pete).	*My parents are called (Judy and Pete).*
Wie ist dein Vater?	*What is your father like?*
Wie ist deine Schwester?	*What is your sister like?*
Mein (Vater) ist (O.K.).	*My (father) is (OK).*
Meine (Schwester) ist (lustig).	*My (sister) is (funny).*
altmodisch	*old-fashioned*
doof	*stupid*
geduldig	*patient*
gut gelaunt	*good-tempered*
klasse	*great*
lustig	*funny*
nervig	*annoying*
nett	*nice*
O.K.	*OK*
streng	*strict*

Zu Hause / *At home*

Darfst du . . .	*Are you allowed to . . .*
ein Piercing haben?	*have a body piercing?*
einen Job haben?	*have a part-time job?*
Haustiere haben?	*have pets?*
laute Musik spielen?	*play loud music?*
Pommes essen?	*eat chips?*
rauchen?	*smoke?*
Ja.	*Yes.*
Nein.	*No.*
Wie findest du das?	*What do you think of that?*
Das finde ich fair.	*I think that's fair.*
Das finde ich unfair.	*I think that's unfair.*

Probleme / *Problems*

Man findet die Schule schwierig.	*You find school difficult.*
Man hat kein Geld.	*You haven't got any money.*
Man hat keine Freunde.	*You haven't got any friends.*
Man hat Liebeskummer.	*You have romantic problems.*
Man hat Zoff mit den Eltern.	*You have fights with your parents.*
Man ist nicht sportlich.	*You aren't sporty.*

Die Zukunft / *The future*

Was wirst du machen?	*What will you do?*
Ich werde nicht rauchen.	*I won't smoke.*
Ich werde mehr lesen.	*I will read more.*
Ich werde einen Job finden.	*I will find a part-time job.*
Ich werde ein Instrument lernen.	*I will learn to play an instrument.*
Ich werde umweltfreundlicher leben.	*I will be more environmentally-friendly.*
Ich werde nicht launisch sein.	*I won't be moody.*

Ein Interview

An Interview

Wie heißen Sie? — *What are you called?*

Wie alt sind Sie? — *How old are you?*

Wo wohnen Sie? — *Where do you live?*

Was machen Sie gern? — *What do you like doing?*

Was für Charaktereigenschaften haben Sie? — *What are your character traits?*

1a Füll die Tabelle aus. Benutze die Wörter rechts.

		Land
Waliser	Waliserin	Wales

Deutsche Österreicherin Engländer
Italien Spanier Franzose Ire Deutscher
Irland Französin Österreich Engländerin
Frankreich Irin England Deutschland
Spanierin Spanien Österreicher Italiener
Italienerin

1b Was passt zusammen?
Beispiel: **1** d

1 Ich bin Italienerin.
2 Ich bin Schotte.
3 Ich bin Engländer.
4 Ich bin Spanierin.
5 Ich bin Waliser.
6 Ich bin Französin.

a   b   c   d   e   f

2 Ordne die Sätze. Was passt zusammen?
Beispiel: **1** Ich spiele gern Fußball. **e**

1 Fußball spiele gern Ich
2 gern Ich fern sehe
3 Ski Ich fahre gern

4 gern Ich Musik höre
5 spiele Ich Computerspiele gern
6 einkaufen Ich gern gehe

a   b   c   d   e   f

3a Was haben sie gestern gemacht? Kopiere und ergänze die Sätze.
Beispiel: **1** Ich bin einkaufen gegangen.

1 Ich bin einkaufen . . .
2 Ich habe Fußball . . .
3 Ich habe . . .
4 Ich habe Musik . . .
5 Ich bin schwimmen . . .
6 Ich habe Computerspiele . . .

gegangen   gespielt

gehört

ferngesehen

gespielt

gegangen

3b Übersetze die Sätze 1–6 oben ins Englische.
Beispiel: **1** Ich bin einkaufen gegangen. – I went shopping.

1a   Ergänze die Steckbriefe für Olaf, Gabi und Frank.

Beispiel: Name: Olaf Schmidt

Name: ....
Alter: ....
Nationalität: ....
Wohnort: ....
Hobbys: ....

Name: ....

Hallo, mein Name ist Gabi Ross und ich bin vierzehn Jahre alt. Ich bin Engländerin, aber jetzt wohne ich in Wien, in Österreich. Ich sehe gern fern und ich höre gern Musik.

Hallo, ich heiße Olaf Schmidt und ich bin fünfzehn Jahre alt. Ich bin Deutscher und ich wohne in München. Ich spiele gern Tennis und ich fahre gern Ski.

Hallo, ich heiße Frank Max und ich bin sechzehn Jahre alt. Ich bin Franzose, aber jetzt wohne ich in Berlin. Ich gehe gern ins Kino und ich gehe auch gern einkaufen.

1b   Mach einen Steckbrief für dich. Kannst du auch einen kurzen Text schreiben?

Beispiel: Name: Robbie Wilson

Ich heiße Robbie Wilson und ich bin fünfzehn Jahre alt.

2   Was machen sie gern? Was machen sie nicht gern? Was sagen sie?

Beispiel: a Ich spiele nicht gern Fußball.

a   b   c   d    e   f

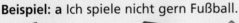

3a   Ordne die Sätze. Was passt zusammen?

Beispiel: 1 Ich bin ins Kino gegangen. **d**

1 Ich gegangen bin ins Kino
2 habe ferngesehen Ich
3 schwimmen gegangen Ich bin
4 Ich Musik habe gehört

5 habe gespielt Computerspiele Ich
6 gespielt Ich Fußball habe
7 bin Ich gegangen einkaufen
8 bin gefahren Ski Ich

a   b   c   d   e    f   g   h

3b   Was hast du gestern Abend gemacht? Schreib fünf Sätze.

Beispiel: Ich habe Tennis gespielt. Ich habe ferngesehen. Ich habe ein Comic gelesen.

1

Beschrifte die Bilder. Welches Fach ist das?
Beispiel: a Sport

a   d   g   j

b   e   h   k

c   f   i   l

Religion	Deutsch
Erdkunde	Geschichte
Englisch	Französisch
Mathe	Physik-Chemie
Biologie	Sport
Musik	Kunst

2

Ordne die Bilder.
Beispiel: 1 e

1 Um zwanzig vor sieben stehe ich auf.
2 Um Viertel vor acht fahre ich mit dem Rad zur Schule.
3 Um Viertel nach acht beginnt die Schule.
4 Um halb zwei esse ich zu Hause.
5 Um vier Uhr mache ich Hausaufgaben.
6 Um sieben Uhr sehe ich fern.

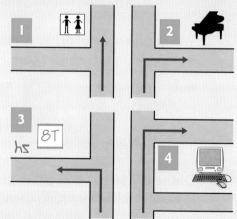

3

Ergänze die Dialoge.
Beispiel: 1 Wo ist die Toilette?

1 – Wo ist die . . . ?
– Geh . . . . Die . . . ist auf der . . . Seite.

2 – Wo ist der . . . ?
– Geh nach . . . . Der . . . ist auf der . . . Seite.

3 – Wo ist das . . . ?
– Geh nach . . . . Das . . . ist auf der . . . Seite.

4 – Wo ist der . . . ?
– Geh . . . und dann nach . . . . Der . . . ist auf der . . . Seite.

geh geradeaus   geh nach rechts   geh nach links

auf der rechten/linken Seite

das Klassenzimmer
der Computerraum
die Toilette
der Musiksaal

 1a Welches Fach ist das? Benutze wenn nötig die Wörterliste auf Seite 44–45.
Beispiel: a Sport

a b c d e f g h i j k l

 1b Wie findest du die Fächer oben? Schreib Sätze.
Beispiel: Sport finde ich anstrengend. Mathe finde ich schwierig.

 2a Lies die Sätze und mach zwei Listen.
Beispiel:

	deutsche Schule	britische Schule
1	Gegen zwei Uhr essen wir zu Hause.	

1 Gegen zwei Uhr essen wir zu Hause.
2 Wir tragen eine Uniform – sie ist rot und schwarz.
3 Am Nachmittag machen wir Hausaufgaben oder wir treffen Freunde.
4 Wir haben eine Kantine und dort essen wir zu Mittag.
5 Unsere Schule beginnt um neun Uhr.
6 Wir stehen sehr früh auf, weil die Schule um Viertel vor acht beginnt.
7 Wir fahren oft mit dem Rad zur Schule.
8 Wir tragen Jeans und Sweatshirts in der Schule.

 2b Beschreib deinen Schultag für eine deutsche Klasse.
Beispiel: Um sieben Uhr stehe ich auf. Um acht Uhr fahre ich mit dem Bus zur Schule.

Um . . . Uhr	beginnt/endet die Schule. esse ich zu Hause / in der Kantine.
Am Nachmittag	habe ich frei / bin ich in der Schule.
Ich trage keine/eine Uniform.	
Ich habe fünf/sechs/ . . . Stunden pro Tag.	

 3 Schreib Dialoge mit (a) einem Schüler und (b) einem Lehrer.

Beispiel: **1a** – Wo ist die Toilette, bitte?
– Geh geradeaus.
Die Toilette ist auf der linken Seite.
– Vielen Dank.
– Bitte sehr.
1b – Wo ist die Toilette, bitte?
– Gehen Sie geradeaus . . .

1 **Sieh dir die Bilder an. Kopiere jeweils den richtigen Satz.**
Beispiel: 1 Im Winter fährt Corinna Ski.

1 Im Winter fährt Corinna Ski.   Im Winter geht Corinna ins Kino.

2 Im Sommer geht Peter einkaufen.   Im Sommer geht Peter wandern.

3 Im Frühling spielt Anna Fußball.   Im Frühling spielt Anna Tennis.

4 Im Herbst geht Ralf schwimmen.   Im Herbst geht Ralf wandern.

5 Im Sommer geht Ruth ins Kino.   Im Sommer geht Ruth einkaufen.

6 Im Herbst geht Olaf ins Kino.   Im Herbst macht Olaf Radtouren.

2a **Sieh dir diese Sätze an. Welche findest du in einem Brief ans Verkehrsamt?**
Beispiel: b, . . .

a   Lieber Klaus,

b   Vielen Dank im Voraus für Ihre Mühe.

c   Herta Friedrichsohn

d   suche für die Zeit vom sechsten März bis zwölften März

e   Wie bitte?

f   Wien, den 13. November

g   ich möchte meinen Urlaub gern in Wagrain verbringen und

h   Gute Nacht!

i   eine Ferienwohnung für vier Personen.

j   Guten Appetit!

k   Sehr geehrte Damen und Herren,

l   Schicken Sie mir bitte auch einen Stadtplan von Wagrain.

m   Entschuldigung.

n   Mit freundlichen Grüßen

2b **Ordne die Sätze und schreib den Brief ab.**
Beispiel: Wien, den 13. November

LESEN 1

Sieh dir die Bilder an. Wer ist das?
Beispiel: a Corinna

Im Sommer geht Peter wandern.
Im Winter fährt Corinna Ski.
Im Sommer geht Ruth einkaufen.
Im Frühling spielt Anna Fußball.
Im Herbst geht Olaf ins Kino.
Im Herbst geht Ralf schwimmen.

LESEN 2a

Sieh dir den Brief an. Wähl das richtige Wort aus.
Beispiel: 1 März

1 Herr Meier schreibt den Brief am dritten Mai/März/Juni.
2 Er möchte seinen Urlaub in Villach/Graz/Gmunden verbringen.
3 Er sucht ein Hotel vom dritten bis 7./17./27. April.
4 Herr Meier hat drei/vier/fünf Kinder.
5 Herr Meier geht gern ins Kino / einkaufen / schwimmen.
6 Herr Meier möchte ein Schwimmbad / einen Stadtplan / einen Skipass.

Graz, den 3. März

Sehr geehrte Damen und Herren,

ich möchte meinen Urlaub gern in Villach verbringen und suche für die
Zeit vom dritten bis siebzehnten April ein Hotel. Wir sind fünf in der
Gruppe – zwei Erwachsene und drei Kinder (12, 14 und 16 Jahre alt).
Wir gehen gern einkaufen und wir fahren auch gern Ski. Haben Sie
Informationen darüber? Haben Sie auch einen Stadtplan von Villach?
Vielen Dank im Voraus für Ihre Mühe.

Mit freundlichen Grüßen
Thomas Meier

SCHREIBEN 2b

Schreib jetzt einen Brief wie oben für Frau Goldmann und ihre Familie.
Beispiel:

Salzburg, den 6. April
Sehr geehrte Damen und Herren,
ich möchte meinen Urlaub gern in Zell am See
verbringen und suche . . .

Wohnort: Salzburg
Datum: 6. April
Urlaubsort: Zell am See
Urlaubszeit: 23.6.–04.7.
Unterkunft: eine Ferienwohnung
Familie:

Hobbys: Schwimmen/Radfahren
Name: Gabi Goldmann

SCHREIBEN 1a

Beschrifte die Filme.
Beispiel: a Zeichentrickfilme

Komödien   Actionfilme   Zeichentrickfilme

Liebesfilme   Horrorfilme   Science-Fiction-Filme

a

b

c

d

e

f

SCHREIBEN 1b

Was denken diese Leute im Kino? Schreib Sätze.
Beispiel: a Ich finde Komödien sehr lustig.

a  sehr Komödien lustig

d  Horrorfilme gruselig ziemlich

b spannend Actionfilme total

e langweilig Science-Fiction-Filme sehr

c  romantisch Liebesfilme so

f  blöd Zeichentrickfilme total

LESEN 2

Ist das positiv oder negativ?
Beispiel: 1 positiv

1 Ich lese gern Comics. Sie sind sehr lustig.
2 Sportbücher finde ich immer sehr gut. Ich lese sie sehr gern.
3 Ich lese gern Sportbücher. Ich liebe Fußball und Eishockey.
4 Fantasy finde ich total blöd.
5 Ich lese sehr gern Zeitschriften. Sie sind immer so interessant und informativ.
6 Sportbücher finde ich sehr langweilig. Ich lese sie gar nicht gern.
7 Ich lese gern Liebesromane. Sie sind so romantisch.
8 Sachbücher finde ich ziemlich interessant.

1a **Wie findest du diese Filme? Schreib Sätze.**

Beispiel: **a** Ich finde Zeichentrickfilme sehr blöd.

a   b   c   d

e   f

ziemlich	lustig	gruselig
so	spannend	langweilig
total	romantisch	blöd
sehr	schrecklich	

1b **Beantworte die Fragen.**

Beispiel: **1** Mein Lieblingsfilm heißt „Titanic".

1 Was ist dein Lieblingsfilm?
2 Was für ein Film ist das – ein Horrorfilm, eine Komödie . . . ?
3 Wie ist der Film – lustig, spannend . . . ?

2a **Sieh dir die Anzeigen an. Was für Bücher sind das?**

Beispiel: **a** Sportbücher

Liebesromane

Fantasy   Sportbücher   Comics   Zeitschriften   Sachbücher

a
Fußball 2000
**Alles über die Bundesliga
mit den spannendsten
Aktionen aus der letzten
Saison!**

b
JUNGE LIEBE
**Oliver liebt Chloe, aber Chloe liebt
Dirk. Was soll Oliver machen?
Ein sensationelles Buch von der
beliebten Autorin M. Werner.**

c
Fakten für alle
1000 Fakten zum Thema
Geschichte und Erdkunde.
Interessante, lustige,
gruselige und manchmal
auch blöde Fakten sind alle
hier zu finden.

d
Erst 15
Tipps und Trends für
Jugendliche; jeden
Mittwoch im Kiosk.
Diese Woche: „Niemand
mag mich."

2b **Sieh dir die Anzeigen noch mal an und beantworte die Fragen.**

Beispiel: **1** Junge Liebe

1 Wie heißt der Liebesroman?
2 Wie heißt das Sportbuch?
3 Wie viele Fakten gibt es in *Fakten für alle*?
4 Welches Buch lesen Fußballfans gern?

5 Wer liebt Chloe?
6 Wer hat *Junge Liebe* geschrieben?
7 Wann erscheint *Erst 15* im Kiosk?
8 Wo findet man gruselige Fakten?

1 Wo arbeiten sie? Beschrifte die Bilder.
Beispiel: **a** Ich trage Zeitungen aus.

| Ich | arbeite im Supermarkt/Restaurant.
mache Babysitting/Gartenarbeit.
wasche das Auto.
trage Zeitungen aus. |

a   b   c   d   e   f

2a Was passt zusammen?
Beispiel: **1** f

1 dreitausend
2 viertausendvierhundert
3 zweitausendachtzehn
4 achttausendvierzig
5 neuntausendneunhundertneunzig
6 siebentausendachthundert
7 sechstausenddreiundvierzig
8 tausendachtzig

a   7800
b   8040
c   4400
d   9990
e   2018
f   3000
g   6043
h   1080

2b Lies die Texte. Worauf sparen sie?
Beispiel: **1** d

1 Ich spare auf einen Fotoapparat. Ich habe zwanzig Euro gespart.
  Ein Fotoapparat kostet etwa fünfzig Euro.
2 Ich spare auf ein Fahrrad. Ich habe fünfhundert Euro auf der Bank.
  Ein Fahrrad kostet etwa vierhundert Euro.
3 Ich spare auf eine Jacke. Ich habe neunzig Euro gespart.
  Eine Jacke kostet etwa fünfzig Euro.
4 Ich spare auf ein Handy. Ich habe zweihundert Euro auf der Bank.
  Ein Handy kostet etwa hundert Euro.
5 Ich spare auf einen Computer. Ich habe tausendfünfzig Euro gespart.
  Ein Computer kostet etwa zweitausendfünfhundert Euro.

a   b   c   d   e

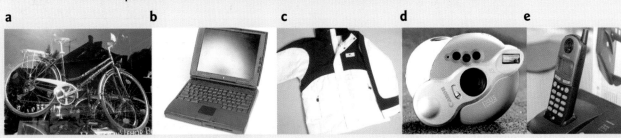

2c Haben sie genug Geld gespart? Ja oder nein?
Beispiel: **1** Nein

LESEN

1a Sieh dir die Anzeigen an. Was passt zusammen?
Beispiel: 1 d

Suche: Gartenhilfe – muss fleißig, pünktlich und freundlich sein. (1)

Hotel sucht höfliche und pünktliche Jungen/Mädchen für Samstagsjobs. (2)

Skischule in den Alpen sucht sportliche, fleißige Jugendliche. Arbeit von Januar bis April. (3)

Firma sucht junge Leute für Internetprojekt. Müssen computererfahren sein und eigenen Computer haben. (4)

Kindergarten sucht Hilfe Montag–Freitag von sieben Uhr bis drei Uhr. Muss geduldig, hilfsbereit und ordentlich sein. (5)

a
b
c
d
e

LESEN

1b Lies die Texte. Welcher Job passt am besten zu diesen Jugendlichen?
Beispiel: a Tina – Job 3

a Tina ist sehr sportlich und geht gern Eis laufen. Sie kann sehr gut Ski fahren und wohnt in den Alpen.

b Renate ist sehr fleißig und sucht einen Job am Wochenende. Letzten Sommer hat sie im Hotel gearbeitet und das hat sie klasse gefunden.

c Dirk ist gern draußen und interessiert sich für die Umwelt. In den Sommerferien hat er im Nationalpark gearbeitet und das war echt klasse.

d Eva arbeitet gern am Computer und möchte gern später Informatik studieren. Im Moment surft sie im Internet, um einen Job zu finden.

e Mandy arbeitet gern mit Kindern und macht oft Babysitting.

SCHREIBEN

2 Schreib Sätze für diese Bilder.
Beispiel: Ein Computer kostet etwa dreitausendfünfhundert Euro.

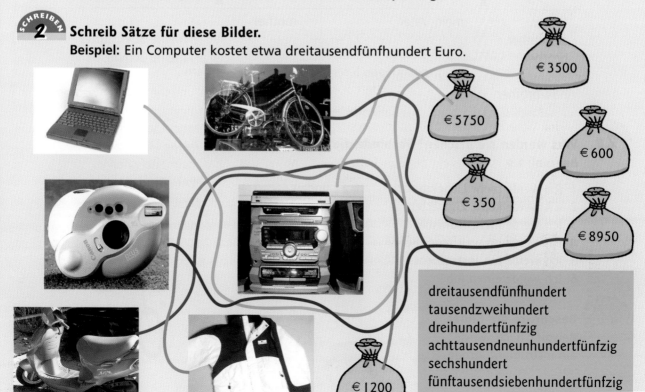

€ 3500
€ 5750
€ 600
€ 350
€ 8950
€ 1200

dreitausendfünfhundert
tausendzweihundert
dreihundertfünfzig
achttausendneunhundertfünfzig
sechshundert
fünftausendsiebenhundertfünfzig

1a Was passt zusammen?
Beispiel: 1 d

1 Mein Stiefbruder ist doof und nervig.
2 Meine Stiefmutter ist gut gelaunt und geduldig.
3 Meine Halbbrüder sind nett und freundlich.
4 Meine Schwester ist altmodisch.
5 Mein Bruder ist echt klasse.
6 Meine Mutter ist sehr streng.
7 Mein Vater ist nett und lustig.

 1b Füll die Tabelle aus.

👤		👩	
father	mein Vater	mother	. . .
stepfather	. . .	. . .	meine Stiefmutter
brother	. . .	. . .	meine Schwester
. . .	mein Stiefbruder	stepsister	. . .
half-brother	. . .	. . .	meine Halbschwester

meine Stiefschwester
meine Mutter
mein Stiefvater
mein Bruder
mein Halbbruder

2a Was werden sie machen? Verbinde die Satzhälften.
Beispiel: 1 f

1 Ich werde mehr Liebesromane   a finden.
2 Ich werde keine Zigaretten   b lernen.
3 Ich werde nicht launisch   c sein.
4 Ich werde umweltfreundlicher   d rauchen.
5 Ich werde ein Instrument   e leben.
6 Ich werde einen Job   f lesen.

 2b Beschrifte die Bilder.
Beispiel: a Ich werde
ein Instrument lernen.

1a **Harald beschreibt seine Familie. Was sagt er?**
Beispiel:
Mein Vater ist sehr geduldig.
Meine Stiefmutter ist total streng.

Bruder – klasse

Stiefbruder – launisch

Schwester – altmodisch

Mutter – nett

Stiefmutter – streng

Vater – geduldig

1b **Füll die Tabelle aus. Schreib einen Satz für jede Person.**
Beispiel: Mein Vater ist sehr gut gelaunt. Meine Mutter ist nett und geduldig.

father	mein Vater	mother	. . .
stepfather	. . .	. . .	meine Stiefmutter
brother	. . .	. . .	meine Schwester
. . .	mein Stiefbruder	stepsister	. . .
half-brother	. . .	. . .	meine Halbschwester

sehr	lustig	gut gelaunt	nervig
total	nett	streng	launisch
ziemlich	klasse	altmodisch	O.K.
nicht sehr	geduldig	doof	

2a **Lies die Texte. Für wen ist das?**
Beispiel: a Olaf

a   b    c   d

2b **Lies die Texte. Richtig oder falsch?**
Beispiel: 1 F (falsch)

1 Petra ist Nichtraucherin.
2 Georg hat ein Problem in der Schule.
3 Olaf möchte ein neues Fahrrad kaufen.
4 Annaliese wird nicht so viel zu Hause helfen.
5 Nächstes Jahr wird Petra nicht rauchen.
6 Nächstes Trimester wird Georg keine Hausaufgaben machen.
7 In den Osterferien wird Olaf arbeiten.
8 In den Ferien wird Annalieses Mutter froh sein.

Petra: Im Moment rauche ich jeden Tag, aber das finde ich schrecklich, weil es so ungesund ist. Nächstes Jahr werde ich nicht rauchen (hoffentlich!).

Georg: Dieses Trimester habe ich meine Hausaufgaben immer zu spät gemacht, also werde ich nächstes Trimester meine Hausaufgaben immer rechtzeitig machen (wahrscheinlich!).

Olaf: In den Sommerferien werde ich einen Job finden. Ich spare auf ein neues Fahrrad, aber bis jetzt habe ich nur fünfzig Euro gespart.

Annaliese: In den Ferien werde ich mehr zu Hause helfen. Im Moment räume ich mein Zimmer auf, aber das ist alles. In den Ferien werde ich abwaschen und im Garten arbeiten, weil meine Mutter das anstrengend findet.

Grammatik

Der, die, das (definite articles)

There are three groups of nouns (words for things and people) in German: masculine, feminine and neuter. Each group has a different word for 'the':

masculine (m)	der
feminine (f)	die
neuter (n)	das

der Computer *the computer*
die Kassette *the cassette*
das T-Shirt *the T-shirt*

Ein, eine, ein (indefinite articles)

There are also different words for 'a/an' in German, depending on whether the noun is masculine, feminine or neuter:

masculine (m)	ein
feminine (f)	eine
neuter (n)	ein

ein Computer *a computer*
eine Kassette *a cassette*
ein T-Shirt *a T-shirt*

Den and einen

After certain phrases, such as **ich habe** (*I've got*), **ich trage** (*I'm wearing*) and **ich nehme** (*I'll take*), the masculine article **der** changes to **den** and the masculine **ein** changes to **einen**. **Die/eine** *(f)* and **das/ein** *(n)* stay the same.

Ich habe <u>einen</u> Bruder. *I've got a brother.*
Ich trage <u>den</u> Rock. *I'm wearing the skirt.*

Kein, keine, kein

Kein or **keine** is used to say what you haven't got. It follows the same pattern as **ein**, **eine**, **ein**.

masculine	**Ich habe <u>keinen</u> Computer.** *I haven't got a computer.*
feminine	**Ich habe <u>keine</u> Jacke.** *I haven't got a jacket.*
neuter	**Ich habe <u>kein</u> Handy.** *I haven't got a mobile phone.*

My, your, his, her

These follow the same pattern as **ein**, **eine**, **ein**. The ending for the plural (more than one) is the same as for the feminine.

	masculine	*feminine*	*neuter*	*plural*
my	**mein**	**meine**	**mein**	**meine**
your	**dein**	**deine**	**dein**	**deine**
his	**sein**	**seine**	**sein**	**seine**
her	**ihr**	**ihre**	**ihr**	**ihre**

mein Bruder *my brother*
deine Schwester *your sister*
sein Buch *his book*
ihre Eltern *her parents*

Pronouns

I	**ich**	*we*	**wir**
you	**du** (one family member / young person)	*you*	**ihr** (more than one family member / young people)
he	**er**	*they*	**sie**
she	**sie**	*you*	**Sie** (one or more adults you don't know well)
it	**er/sie/es***		

* <u>der</u> Rock *(m) the skirt* → **er** ist rot *(it is red)*
<u>die</u> Jacke *(f) the jacket* → **sie** ist blau *(it is blue)*
<u>das</u> T-Shirt *(n) the T-shirt* → **es** ist weiß *(it is white)*

Regular verbs

All regular verbs follow this pattern in the present tense:

Infinitive	wohnen *(to live)*	gehen *(to go)*	hören *(to hear)*
ich: ending **-e**	ich wohn**e**	ich geh**e**	ich hör**e**
du: ending **-st**	du wohn**st**	du geh**st**	du hör**st**
er/sie: ending **-t**	er/sie wohn**t**	er/sie geh**t**	er/sie hör**t**
wir: as infinitive	wir wohn**en**	wir geh**en**	wir hör**en**
ihr: ending **-t**	ihr wohn**t**	ihr geh**t**	ihr hör**t**
sie/Sie: as infinitive	sie/Sie wohn**en**	sie/Sie geh**en**	sie/Sie hör**en**

Arbeiten *(to work)* and **finden** *(to find)* have an extra **e** before the **du** and **er/sie** endings:

arbeiten *(to work)*	finden *(to find)*
ich arbeite	**ich finde**
du arbeitest	**du find**est
er/sie arbeitet	**er/sie find**et

Sein (to be) and haben (to have)

Sein and **haben** are the two most important verbs in German. They are both irregular.

sein	*to be*	haben	*to have*
ich bin	*I am*	**ich habe**	*I have*
du bist	*you are*	**du hast**	*you have*
er/sie ist	*he/she is*	**er/sie hat**	*he/she has*
wir sind	*we are*	**wir haben**	*we have*
ihr seid	*you are*	**ihr habt**	*you have*
sie/Sie sind	*they/you are*	**sie/Sie haben**	*they/you have*

The perfect tense

To talk about things you have done in the past, use the perfect tense. It is made up of two parts: a form of **haben** or **sein**, plus the past participle at the end of the sentence. Most verbs take **haben**, but a few common ones including **gegangen** *(went)* and **gefahren** *(drove/went)* take **sein**.

Ich habe Musik gehört. *I listened to music.*
Er hat ferngesehen. *He watched television.*
Ich bin schwimmen gegangen. *I went swimming.*
Sie ist nach München gefahren. *She went to Munich.*

Past participles

+ haben
e.g. **ich habe gelesen** *(I read)*
gehört *(heard)*
gelesen *(read)*
gemacht *(did)*
gespielt *(played)*
gespart *(saved)*
gekauft *(bought)*
besichtigt *(visited)*
ferngesehen *(watched TV)*

+ sein
ich bin Ski gefahren *(I went skiing)*
gegangen *(went)*
gefahren *(drove/went)*
gesurft *(surfed)*

The future tense

To talk about things that you will do in the future, use **ich werde**, with the second verb (in the infinitive form) at the end of the sentence.

Ich <u>werde</u> ein Instrument <u>lernen</u>. *I will learn an instrument.*
Ich <u>werde</u> höflich <u>sein</u>. *I will be polite.*

Questions

The following words beginning with **w** are used to ask questions.

Wer? *Who?*   **Wie?** *How?*
Was? *What?*   **Wie oft?** *How often?*
Wann? *When?*   **Wie viele?** *How many?*
Wo? *Where?*

If you're not using a **w** question word, you can ask a question by putting the verb first and the pronoun (**du**, **sie**, etc.) after it.

Findest du Mathe interessant? *Do you find maths interesting?*
Spielst du Fußball? *Do you play football?*

Word order

The basic sentence word order in German is:

1	2	3
pronoun/person	*verb*	*rest of sentence*
Ich	**habe**	**einen Bruder und zwei Schwestern.**
Thomas	**hat**	**Musik gehört.**

You can change the word order by starting the sentence with a time expression or an object. Notice that the verb is still in second place.

1	2	3	
object/place/time	*verb*	*pronoun/person*	*rest of sentence*
Sport	**finde**	**ich**	**interessant.**
Mathe	**finde**	**ich**	**langweilig.**
Um acht Uhr	**gehe**	**ich**	**in die Schule.**
Am Montag	**habe**	**ich**	**die Festung besichtigt.**

Modal verbs

After these expressions, the second verb goes to the end of the sentence.

Ich muss *I must*
Ich will *I want to*
Man kann *You/People can*
Man darf *You/People are allowed to*
Man sollte *You/People should*

Ich <u>muss</u> pünktlich <u>sein</u>. *I must be punctual.*
Ich <u>will</u> Deutsch <u>lernen</u>. *I want to learn German.*
Man <u>kann</u> Hausaufgaben <u>machen</u>. *You can do homework.*
Man <u>darf</u> nicht <u>rauchen</u>. *You're not allowed to smoke.*
Man <u>sollte</u> Energie <u>sparen</u>. *You should save energy.*

Nicht

To say what you don't do or what you aren't allowed to do, use **nicht**.

Ich darf rauchen. *I'm allowed to smoke.*
Ich darf <u>nicht</u> rauchen. *I'm not allowed to smoke.*
Ich bin computererfahren. *I'm computer-literate.*
Ich bin <u>nicht</u> computererfahren. *I'm not computer-literate.*

Saying what you like/dislike

Gern shows you like something and **nicht gern** shows you don't like something.
Gern or **nicht gern** comes straight after the verb.

Ich gehe <u>gern</u> ins Kino. *I like going to the cinema.*
Ich gehe <u>nicht gern</u> ins Schwimmbad. *I don't like going to the swimming pool.*

You can also use **ich mag** *(I like)* or **ich mag . . . nicht** *(I don't like).*

Ich <u>mag</u> Horrorfilme. *I like horror films.*
Ich <u>mag</u> Liebesfilme <u>nicht</u>. *I don't like romantic films.*

Expressing an opinion

To ask a friend what he/she thinks of something, ask: **Wie findest du . . . ?**
Here are some replies:

Sport finde ich <u>sehr</u> anstrengend. *I find sport <u>very</u> tiring.*
Actionfilme finde ich <u>ziemlich</u> lustig. *I find action films <u>quite</u> funny.*
Comics finde ich <u>ein bisschen</u> langweilig. *I find comics <u>a bit</u> boring.*
Sportbücher finde ich <u>so</u> interessant. *I find sports books <u>so</u> interesting.*
Kunst finde ich <u>total</u> blöd. *I find art <u>totally</u> stupid.*
Musik finde ich <u>echt</u> klasse. *I find music <u>really</u> great.*
Biologie finde ich <u>zu</u> schwierig. *I find biology <u>too</u> difficult.*
Geschichte finde ich gut. *I find history good.*
Englisch finde ich super. *I find English great.*
Liebesfilme finde ich schrecklich. *I find romantic films terrible.*

Numbers

1 **eins**	11 **elf**	21 **einundzwanzig**
2 **zwei**	12 **zwölf**	22 **zweiundzwanzig**
3 **drei**	13 **dreizehn**	23 **dreiundzwanzig**
4 **vier**	14 **vierzehn**	30 **dreißig**
5 **fünf**	15 **fünfzehn**	40 **vierzig**
6 **sechs**	16 **se<u>ch</u>zehn**	50 **fünfzig**
7 **sieben**	17 **sie<u>bz</u>ehn**	60 **se<u>ch</u>zig**
8 **acht**	18 **achtzehn**	70 **sie<u>bz</u>ig**
9 **neun**	19 **neunzehn**	80 **achtzig**
10 **zehn**	20 **zwanzig**	90 **neunzig**

100 **hundert**	150 **hundertfünfzig**
200 **zweihundert**	1000 **tausend**
1100 **tausendeinhundert**	3500 **dreitausendfünfhundert**
5068 **fünftausendachtundsechzig**	6749 **sechstausendsiebenhundertneunundvierzig**

Days and months

Am . . .	Im . . .	
Montag	**Januar**	**Juli**
Dienstag	**Februar**	**August**
Mittwoch	**März**	**September**
Donnerstag	**April**	**Oktober**
Freitag	**Mai**	**November**
Samstag	**Juni**	**Dezember**
Sonntag		

Wortschatz

Deutsch–Englisch

A

ab	from
der Abend(-e)	evening
aber	but
der Absatz(¨e)	paragraph
keine Ahnung	no idea
die Aktivität(-en)	activity
alle	all
alles	everything
als	when, than
also	so, therefore
alt	old
das Alter(-)	age
das Altersheim(-e)	old people's home
altmodisch	old-fashioned
an	on
ändern	to change
anders	different
anhören	to listen to
anprobieren	to try on
ans(an das)	to the
anstrengend	tiring
die Antwort(-en)	answer
die Anweisung(-en)	instruction
die Anzeige(-n)	advertisement
der Apfel(¨)	apple
der Apfelstrudel(-)	apple strudel
die Arbeit	work
arbeiten	to work
der Arzt(¨e)	doctor
auch	also
auf	on
aufmerksam	careful, carefully
aufstehen	to get up
die Aula	school hall
aus	out of, from
ausfüllen	to fill in
die Ausrüstung	equipment
aussetzen	to abandon
die Aussprache	pronunciation
der Austausch(-e)	exchange
austragen	to deliver
auswendig	by heart
der Auszug(¨e)	extract, excerpt
das Auto(-s)	car

B

das Backhendl(-)	Austrian roast chicken
baden	to bathe
bald	soon
Bayern	Bavaria
beantworten	to answer
bedeuten	to mean
bei	at
beide	both
das Beispiel(-e)	example
bekannt	well-known
bekommen	to get
beliebt	popular
benutzen	to use
der Berg(-e)	mountain
berühmt	famous
beschreiben	to describe
beschriften	to label
besichtigen	to visit (a place)
besonders	special
besprechen	to discuss
besser	better
besuchen	to visit (a person)
der Besucher(-)	visitor (male)
die Besucherin(-nen)	visitor (female)
das Bett(-en)	bed
die Bibliothek(-en)	library
der Bierkrug(¨e)	beer mug
das Bild(-er)	picture
bis	until
ein bisschen	a bit
bleiben	to stay
blöd	stupid
brauchen	to need
der Brief(-e)	letter
der Brieffreund(-e)	pen friend
der Bruder(¨er)	brother
brünett	brown-haired
das Buch(¨er)	book
das Buchquiz(-)	book quiz
die Bundesliga(-en)	football league
die Bürohilfe(-n)	office assistant

C

die Charaktereigenschaft(-en)	characteristic
die Chips	crisps
der Chor(¨e)	choir
computererfahren	computer literate

D

dagegen	against
die Dame(-n)	lady
damit	so that
dann	then
das Datum	date
dein, deine, deinen	your
denken	to think
der-/die-/dasselbe	the same
die Diät	diet
diese, dieser, dieses	this, these
das Ding(-e)	thing
doof	stupid
das Dorf(¨er)	village
dort	there
dorthin	over there
draußen	outside
drüben	over there
der Druck(-)	pressure
dürfen	to be allowed to
duschen	to shower

E

die Ehre(-n)	honour
das Ehrenamt(¨er)	volunteer work
einfach	simple
einige	several
einkaufen gehen	to go shopping
einverstanden	agreed
die Einzelheit(-en)	detail
die Eltern (pl)	parents
das Ende	end
enden	to end
der Engländer(-)	English man
die Engländerin (-nen)	English woman
Erdkunde	geography
erfinden	to invent
erraten	to guess
der/die/das Erste	the first
essen	to eat
etwa	roughly
Europa	Europe
evangelisch	protestant

F

fahren	to drive, to ride
das Fahrrad(¨er)	bicycle
falsch	wrong
die Familie(-en)	family
fehlen	to lack, to miss

der Fehler(-)	mistake	
die Ferien (pl)	holidays	
die Ferien- wohnung(-en)	holiday home	
fernsehen	to watch television	
der Fernseher(-)	television	
die Festung(-en)	fortress	
fleißig	hard-working	
die Folge(-n)	sequel, episode	
folgende	the following	
der Fotoapparat(-e)	camera	
Frankreich	France	
der Franzose(-n)	French man	
die Französin(-nen)	French woman	
die Frau(-en)	woman	
frech	cheeky	
frei	free	
der Freund(-e)	friend	
freundlich	friendly	
früh	early	
der Frühling	spring	
der Führerschein(-e)	driving license	
der Fußball(¨e)	football	

G

der Gang(¨e)	corridor
ganz	whole, totally
gar nicht	not at all
der Garten(¨)	garden
geben	to give
der Geburtstag(-e)	birthday
geduldig	patient
gegen	against
im Gegenteil	on the contrary
gehen	to go
gehören	to belong to
gut gelaunt	in a good mood
das Geld(-)	money
genau	exactly
geradeaus	straight on
gern	like, enjoy
das Geschäft(-e)	shop
Geschichte	history
die Geschwister (pl)	brothers and sisters
gestern	yesterday
gewinnen	to win
der Gottesdienst(-e)	church service
groß	big
grün	green
der Grund(¨e)	reason
gruselig	scary
grüßen	to greet
der Gruß(¨e)	greeting

H

das Haar(-e)	hair
haben	to have
halb	half
der Halbbruder(¨)	half-brother
die Halb- schwester(-n)	half-sister
das Hallenbad(¨er)	indoor pool
das Handy(-s)	mobile telephone
der Hauptbahn- hof(¨e)	main railway station
zu Hause	at home
die Hausordnung	house rules, school rules
das Haustier(-e)	pet
das Heft(-e)	exercise book
heißen	to be called
helfen	to help
heraus	out of
der Herbst	autumn
heute	today
heutzutage	nowadays
hier	here
die Hilfe(-n)	help
hilfsbereit	helpful
hinzufügen	to add
höflich	polite
hören	to hear
die Hose(-n)	trousers
der Hund(-e)	dog

I

die Idee(-n)	idea
die Identität(-en)	identity
ihr, ihre, ihren	her
die Imbissstube(-n)	snack bar
imitieren	to copy
immer	always
das Instrument(-e)	instrument
interessant	interesting
der Ire(-n)	Irish man
die Irin(-nen)	Irish woman
Irland	Ireland
Italien	Italy
der Italiener(-)	Italien man
die Italienerin(-nen)	Italien woman

J

die Jacke(-n)	jacket
das Jahr(-e)	year
die Jahreszeit(-en)	season
jede	each, every
jemand	someone
jetzt	now
die Jugend- gruppe(-n)	youth group

der Jugendliche(-n)	young person
jung	young
der Junge(-n)	boy

K

die Kabine(-n)	changing room
der Kaffee(-)	coffee
kaputt	broken
der Karton(-s)	cardboard box
die Katze(-n)	cat
kauen	to chew
kaufen	to buy
kein, keine, keinen	no, not any
der Kicker(-)	football player
das Kind(-er)	child
das Kinderheim(-e)	children's home
das Kino(-s)	cinema
die Kirche(-n)	church
die Kirchen- gemeinde(-n)	church community
klar	of course
klasse	great
die Klassen- fahrt(-en)	school trip
das Klassen- zimmer(-)	class room
das Kleid(-er)	dress
die Kleidung(-)	clothing
das Klopapier(-)	toilet roll
der Knödel(-)	dumpling
kommentieren	to comment
die Komödie(-n)	comedy
der Kompost- haufen(-)	compost heap
kompostieren	to compost
können	can, to be able to
kosten	to cost
der Krach	noise, argument
die Krawatte(-n)	tie
die Küche(-n)	style of food
der Kuli(-s)	ballpoint pen
Kunst	art
kurz	short

L

das Labor(-s)	laboratory
das Land(¨er)	country
die Landschaft(-en)	landscape
lang	long
langsam	slow
langweilig	boring
launisch	moody
laut	loud
leben	to live
lecker	tasty

der Lehrer(-)	teacher (male)
die Lehrerin(-nen)	teacher (female)
die Leichtathletik(-)	gymnastics
leider	unfortunately
leiten	to guide, to lead
lesen	to read
die Leseratte(-n)	bookworm
letzte	last
die Leute (pl)	people
Liebe ...	Dear ...
die Liebe(-)	love
der Liebesfilm(-e)	romantic film
der Liebeskummer(-)	lovesickness
der Liederabend(-e)	evening with songs
die Luft	air
lustig	fun, funny

M

machen	to make, to do
das Mädchen(-)	girl
die Mädchen-turngruppe	girls' gymnastics group
malen	to paint
manche	some
manchmal	sometimes
die Maus(¨e)	mouse
die Medien (pl)	media
mehr	more
mein, meine, meinen	my
die Meinung(-en)	opinion
meistens	mostly
merken	to notice
mindestens	at least
mit	with
mitbringen	to bring along
modisch	trendy
das Mofa(-s)	moped
mögen	to like
möglich	possible
der Monat(-e)	month
morgens	in the morning
das Motorrad(¨er)	motorbike
die Mühe(-)	effort
der Müll(-)	rubbish
musikalisch	musical
der Musikladen(¨)	music shop
müssen	must, to have to
die Mutter(¨)	mother

N

na	well then
nach	after
der Nachmittag(-e)	afternoon
nächste, nächster, nächstes	next

die Nacht(¨e)	night
die Nationalität (-en)	nationality
natürlich	naturally
nehmen	to take
nennen	to name
nervig	annoying
nett	nice
neu	new
nie	never
noch	still
normalerweise	normally
nötig	necessary
die Nummer(-n)	number
nur	only
nützlich	useful

O

oben	above
oder	or
oft	often
ohne	without
ordentlich	tidy
organisieren	to organise
Österreich	Austria

P

das Paar(-e)	pair, couple
passen	to fit
das Pferde-buch(¨er)	book about horses
die Pflanze(-n)	plant
die Plastiktüte(-n)	plastic bag
die Pommes frites	chips
die Präsentation (-en)	presentation
der Preis(-e)	price
prima	great
das Programm(-e)	program
pünktlich	on time, punctual

Q

die Quelle(-n)	source

R

das Rad(¨er)	bicycle
die Radtour(-en)	cycle trip
raten	to guess
rauchen	to smoke
rechts	on the right
die Regenjacke(-n)	raincoat
die Reise(-n)	journey
das Resultat(-e)	result
richtig	correct
der Rock(¨e)	skirt
der Roman(-e)	novel
romantisch	romantic

rufen	to call
ruhig	quiet

S

das Sachbuch(¨er)	non-fiction book
sagen	to say
der Satz(¨e)	sentence
sauber	clean
das Schach(-)	chess
Schade	shame
schauen	to look
schicken	to send
schlafen	to sleep
schlecht	bad
schlimm	bad, terrible
der Schluss(¨e)	end
schneien	to snow
schnell	fast, quickly
das Schnitzel(-)	schnitzel
die Schokolade(-)	chocolate
schon	already
schön	beautiful, pretty
der Schotte(-n)	Scotsman
die Schottin(-nen)	Scotswoman
Schottland	Scotland
schrecklich	terrible
schreiben	to write
der Schulchor(¨e)	school choir
die Schule(-n)	school
das Schulheft(-e)	exercise book
die Schwester(-n)	sister
schwierig	difficult
das Schwimm-bad(¨er)	swimming bath
sehen	to see
sehenswert	worth seeing
sehr	very
Sehr geehrte ...	Dear ... (formal)
die Seifenoper(-n)	soap opera
sein	to be
sein, seine, seinen	his
die Seite(-n)	page
selber	oneself, yourself
die Sendung(-en)	program
Servus	Hello (Austrian)
singen	to sing
sitzen	to sit
sofort	immediately
sollen	should
der Sommer	summer
die Sommer-ferien (pl)	summer holidays
sonst	otherwise
sonstig	other
Spanien	Spain
spannend	exciting

sparen	to save
spät	late
die Spezialität(-en)	speciality
das Spiel(-e)	game
spielen	to play
der Spieler(-)	player
sportlich	sporty
sprechen	to speak
die Stadt(¨e)	town, city
der Stadtplan(¨e)	city map
die Stadtrund-fahrt(-en)	city tour
der Steckbrief(-e)	wanted note
stellen	to put
die Stereoanlage(-n)	hi-fi system
das Stichwort(¨er)	key word
der Stiefbruder(¨)	stepbrother
die Stiefmutter(¨)	stepmother
die Stief-schwester(-n)	stepsister
der Stiefvater(¨)	stepfather
still	quiet
stimmen	to be correct
streng	strict
die Stunde(-n)	hour
suchen	to look for

T

der Tag(-e)	day
das Tagebuch(¨er)	diary
tanzen	to dance
das Taschengeld(-)	pocket money
teuer	expensive
das Thema(-en)	subject, topic
toll	great
tragen	to wear
trainieren	to train
traurig	sad
treffen	to meet
trennen	to separate
das Trimester(-)	term
trinken	to drink
die Trompete(-n)	trumpet
Tschüs	bye
tun	to do
turnen	to do gymnastics
der Turnverein(-e)	sports club

U

üben	to practice
über	over, above, about
überall	everywhere
überprüfen	to check
übersetzen	to translate
die Uhr(-en)	clock, watch
Uhr	o' clock

um	around
die Umfrage(-n)	survey
die Umwelt(-)	environment
umweltfreundlich	environmentally-friendly
der Unfall(¨e)	accident
ungefähr	approximately
unpünktlich	not on time
unser, unsere, unseren	our
unten	below, downstairs
die Unterkunft(¨e)	accommodation
unterrichten	to teach
unterstreichen	to underline
der Urlaub(-e)	holidays

V

der Vater(¨)	father
verbessern	to improve
verbinden	to connect
verbringen	to spend
verdienen	to earn
vergessen	to forget
vergleichen	to compare
der Verkäufer(-)	salesperson (male)
die Verkäuferin (-nen)	salesperson (female)
das Verkehrsamt	tourist information
versprechen	to promise
verstehen	to understand
versuchen	to try
viel	a lot, much
vielleicht	perhaps
von	from, of
vor	before, in front of
im Voraus	in advance
der Vorname(-n)	first name

W

die Wahl(-en)	choice
wählen	to choose
Wahnsinn(-)	madness, crazy
der Waliser(-)	Welsh man
die Waliser(-in)	Welsh woman
wandern gehen	to go hiking
wann	when
warum	why
waschen	to wash
das Wasser(-)	water
weil	because
der Wein(-e)	wine
weiß	white
weitere	further, more

welche	which
wenn	when, if
wer	who
werden	will, to become
wichtig	important
wie	how
wieder	again
wiederholen	to repeat
die Wieder-holung(-en)	repetition
der Wiener(-)	Viennese man
die Wiener(-in)	Viennese woman
wissen	to know
wo	where
die Woche(-n)	week
das Wochen-ende(-n)	weekend
wohin	where to
wohnen	to live
der Wohnort(-e)	place of residence
die Wohnung(-en)	flat
wollen	to want
worauf	what for
das Wort(¨er)	word
das Wörter-buch(¨er)	dictionary
wunderbar	wonderful
würfeln	to throw the dice

Z

die Zahl(-en)	number
der Zeichentrick-film(-e)	cartoon
zeichnen	to draw
zeigen	to show
die Zeit(-en)	time
die Zeitschrift(-en)	magazine
die Zeitung(-en)	newspaper
das Zeugnis(-se)	school report
das Ziel(-e)	aim, target
ziemlich	quite
die Zigarette(-n)	cigarette
das Zimmer(-)	room
der Zirkus(-se)	circus
der Zoff(-)	row, argument
zu	to
das Zubehör (pl)	accessories
zuerst	at first
der Zug(¨e)	train
die Zukunft(-)	future
zurück	back
zusammen	together

Englisch–Deutsch

A

accident	der Unfall(¨e)
activity	die Aktivität(-en)
accommodation	die Unterkunft
advertisement	die Anzeige(-n)
after	nach
afternoon	der Nachmittag(-e)
age	das Alter(-)
air	die Luft
airport	der Flughafen(¨)
all	alle
to be allowed to	dürfen
already	schon
also	auch
always	immer
annoying	nervig
appetite	der Appetit(-)
approximately	ungefähr
argument	der Krach, der Zoff
art	Kunst
Austria	Österreich
autumn	der Herbst

B

bad	schlecht
to be	sein
beautiful, pretty	schön
because	weil
to belong to	gehören
better	besser
bicycle	das Fahrrad(¨er)
big	groß
bike	das Rad(¨er)
birthday	der Geburtstag(-e)
a bit	ein bisschen
book	das Buch(¨er)
boring	langweilig
to bring	bringen
broken	kaputt
brother	der Bruder(¨)
brown-haired	brünett
bus	der Bus(-se)
but	aber
to buy	kaufen
by heart	auswendig
bye	Tschüs

C

to call	rufen
to be called	heißen
camera	der Fotoapparat(-e)
can	können
cantine	die Kantine(-n)
careful, carefully	aufmerksam
to carry	tragen

cat	die Katze(-n)
to change	ändern
changing room	die Kabine(-n)
to check	überprüfen
to chew	kauen
child	das Kind(-er)
chips	die Pommes frites(pl)
choir	der Chor(¨e)
to choose	wählen
cinema	das Kino(-s)
city tour	die Stadtrundfahrt(-en)
classical music	klassische Musik
clean	sauber
clock	die Uhr(-en)
clothes	die Kleidung(-)
to copy	imitieren
correct	richtig
country	das Land(¨er)
crisps	die Chip(-s)
cycle trip	die Radtour(-en)

D

to dance	tanzen
date	das Datum(-en)
day	der Tag(-e)
to deliver	austragen
coffee	der Kaffee(-)
to describe	beschreiben
detail	die Einzelheit(-en)
dialogue	der Dialog(-e)
diary	das Tagebuch(¨er)
dictionary	das Wörterbuch(¨er)
different	anders
difficult	schwierig
to do	tun, machen
doctor	der Arzt(¨e)
dog	der Hund(-e)
to draw	zeichnen
dress	das Kleid(-er)
to drink	trinken
to drive	fahren
driving license	der Führerschein(-e)

E

each	jede
early	früh
earn	verdienen
to eat	essen
end	das Ende, der Schluss(¨e)
to end	enden
English man	der Engländer(-)
English woman	die Engländerin(-nen)
environmentally-friendly	umweltfreundlich

environment	die Umwelt(-)
Europe	Europa
evening	der Abend(-e)
everywhere	überall
exact(ly)	genau
exchange	der Austausch(-e)
exciting	spannend
exercise	die Übung(-en)
exercise book	das Heft(-e)
expensive	teuer

F

family	die Familie(-n)
famous	berühmt
father	der Vater(¨)
to fit	passen
flat	die Wohnung(-en)
football	der Fußball(¨e)
to forget	vergessen
France	Frankreich
friendly	freundlich
funny	lustig
future	die Zukunft(-)

G

game	das Spiel(-e)
garden	der Garten(¨)
geography	Erdkunde
to get	bekommen
to get up	aufstehen
to give	geben
to go	gehen, fahren
great	klasse, prima, toll
green	grün
to guess	raten

H

hair	das Haar(-e)
to have	haben
to bathe	baden
to hear	hören
help	die Hilfe(-n)
to help	helfen
her	ihr, ihre
hi-fi	die Stereoanlage(-n)
to hike	wandern gehen
his	sein, seine
history	Geschichte
holidays	der Urlaub(-e), die Ferien (pl)
at home	zu Hause
how	wie
how much	wie viel

I

idea	die Idee(-n)
identity	die Identität(-en)
immediately	sofort
important	wichtig
to improve	verbessern
in advance	im Voraus
instrument	das Instrument(-e)

J

jacket	die Jacke(-n)

K

to know	wissen

L

laboratory	das Labor(-s)
last	letzte
late	spät
to learn	lernen
left	links
letter	der Brief(-e)
library	die Bibiothek(-en)
to like	mögen
list	die Liste(-n)
to listen to	anhören, zuhören
to live	leben, wohnen
long	lang
to look	schauen
loud	laut
love	die Liebe
to love	lieben

M

magazine	die Zeitschrift(-en)
to match	passen
maybe	vielleicht
to mean	bedeuten
to meet	treffen
mobile phone	das Handy(-s)
money	das Geld(-)
month	der Monat(-e)
moody	launisch
morning	der Morgen
moped	das Mofa(-s)
mother	die Mutter(¨)
motorbike	das Motorrad(¨er)
mountain	der Berg(-e)
music shop	der Musikladen
must, to have to	müssen
my	mein, meine

N

to need	brauchen
never	nie

next	nächste
nice	nett
noise	der Krach(¨e)
normally	normalerweise
now	jetzt
number	die Zahl(-en)

O

often	oft
old	alt
old-fashioned	altmodisch
only	nur
on the right	rechts
opinion	die Meinung(-en)
or	oder
other	andere
our	unser, unsere
outside	draußen

P

parents	die Eltern (pl)
patient	geduldig
people	die Leute (pl)
pen	der Kuli(-s)
pen friend	der Breiffreund(-e), die Brieffreundin(-nen)
pet	das Haustier(-e)
picture	das Bild(-er)
to plan	planen
plant	die Pflanze(-n)
plastic bag	die Plastiktüte(-n)
player	der Spieler(-)
to play	spielen
polite	höflich
possible	möglich
to practise	üben
presentation	die Präsentation(-en)
price	der Preis(-e)
program	die Sendung(-en)
to promise	versprechen
to put	stellen

Q

quick(ly)	schnell
quiet	ruhig, still
quite	ziemlich

R

rather	ziemlich
to read	lesen
reason	der Grund(¨e)
right	rechts
room	das Zimmer(-)
rubbish	der Müll(-)

S

sad	traurig
to say	sagen
scary	gruselig
school	die Schule(-n)
school rules	die Hausordnung(-en)
school trip	die Klassenfahrt(-en)
Scotland	Schottland
season	die Jahreszeit(-en)
to see	sehen
to send	schicken
to go shopping	einkaufen gehen
short	kurz
should	sollen
to show	zeigen
to shower	duschen
shop	das Geschäft(-e)
simple	einfach
sister	die Schwester(-n)
to sit	sitzen
skirt	der Rock(¨e)
to sleep	schlafen
slow	langsam
to smoke	rauchen
snack bar	die Imbissstube(-n)
some	manche
somebody	jemand
sometimes	manchmal
soon	bald
Spain	Spanien
to speak	sprechen
special	besonders
speciality	die Spezialität(-en)
sporty	sportlich
spring	der Frühling(-e)
to start	beginnen
to stay	bleiben
stepbrother	der Stiefbruder(¨)
stepfather	der Stiefvater(¨)
stepmother	die Stiefmutter(¨)
stepsister	die Stiefschwester(-n)
still	noch
straight on	geradeaus
strict	streng
stupid	blöd, doof
summer	der Sommer(-)
summer holidays	die Sommerferien(pl)
survey	die Umfrage(-n)
sweater	der Pullover(-)
swimming pool	das Schwimmbad(¨er)

T

tasty	lecker
today	heute
to take	nehmen

television	der Fernseher(-)	to try on	anprobieren	to watch TV	fernsehen
terrible	schrecklich			to wear	tragen
there	dort	**u**		week	die Woche(-n)
thing	das Ding(-e)	to understand	verstehen	where	wo
to think	denken	unfortunately	leider	which	welche
this	dieser, diese, dieses	to use	benutzen	white	weiß
tidy	ordentlich	useful	nützlich	who	wer
tie	die Krawatte(-n)			why	warum
tiring	anstrengend	**v**		will	werden
together	zusammen	very	sehr	without	ohne
toilet roll	das Klopapier(-)	village	das Dorf(¨er)	word	das Wort(¨er)
totally	ganz	to visit (person)	besuchen	work	die Arbeit(-en)
town, city	die Stadt(¨e)	to visit (place)	besichtigen	to work	arbeiten
to	zu	visitor	der Besucher(-)		
train	der Zug(¨e)		die Besucherin(-nen)	**y**	
to translate	übersetzen			yesterday	gestern
trendy	modisch	**w**		your	dein, deine
trip	der Ausflug(¨e)	to want	wollen		
to try	versuchen	watch	die Uhr(-en)		
trousers	die Hose(-en)	to wash	waschen		

Beantworte die Fragen.	*Answer the questions.*	Richtig oder falsch?	*True or false?*
Beispiel.	*Example.*	Richtig, falsch oder nicht	
Beschreib.	*Describe.*	im Text?	*True, false or not in the text?*
Beschrifte.	*Label.*	Schau ins Glossar.	*Look in the glossary.*
Ergänze die Fragen/Sätze/Tabelle.	*Complete the questions/ sentences/table*	Schreib die Tabelle ab und füll sie aus.	*Copy and complete the table.*
Erfinde.	*Make up.*	Schreib Sätze.	*Write sentences.*
Finde.	*Find.*	Sieh dir ... an.	*Look at ... .*
Füg ... hinzu.	*Add ... .*	So spricht man ... aus!	*That's how you say ...!*
Füll die Lücken/Tabelle aus.	*Fill in the blanks/table.*	Übe/Übt.	*Practise.*
Gruppenarbeit.	*Groupwork.*	Überprüfe es.	*Check.*
Hör zu und lies.	*Listen and read.*	Übung.	*Exercise.*
Hör (noch mal) zu und		Vergleich deine Listen mit	*Compare your list with a*
wiederhole.	*Listen (again) and repeat.*	einem Partner / einer Partnerin.	*partner.*
Hör zu und überprüfe es.	*Listen and check.*	Wähl die richtige Antwort aus.	*Choose the correct answer.*
Korrigiere deine Sätze.	*Correct your sentences.*	Was ist das?	*What is it?*
Lies den Brief/Dialog/Text.	*Read the letter/dialogue/text.*	Was passt zusammen?	*What goes together?*
Mach Dialoge.	*Make up dialogues.*	Was heißt das auf Englisch?	*How do you say that in*
Mach ein Interview.	*Do an interview.*		*English?*
Mach Listen/Notizen.	*Make lists/notes.*	Wer spricht?	*Who is speaking?*
Ordne die Sätze/Bilder.	*Put the sentences/pictures in order.*	Wie spricht man das auf Deutsch aus?	*How do you pronounce that in German?*
Partnerarbeit.	*Pairwork.*	Zeichne.	*Draw.*
Rate mal!	*Guess!*		